历代笔记小说大观

拾遗记（外三种）

[前秦] 王嘉 等撰　王根林 等校点

异苑　幽明录

续齐谐记

图书在版编目(CIP)数据

拾遗记（外三种）/（前秦）王嘉等撰；王根林等校点.—上海：
上海古籍出版社,2012.8(2023.2重印)
（历代笔记小说大观）
ISBN 978-7-5325-6337-1

Ⅰ.①拾… Ⅱ.①王… ②王… Ⅲ.①笔记小说—小说
集—中国—前秦 Ⅳ.①I242.1

中国版本图书馆CIP数据核字(2012)第044987号

历代笔记小说大观

拾遗记（外三种）

[前秦]王　嘉　等撰
王根林　等校点
上海古籍出版社出版、发行
（上海市闵行区号景路159弄1-5号A座5F　邮政编码201101）
(1) 网址:www. guji. com. cn
(2) E-mail:guji1@guji. com. cn
(3) 易文网网址:www. ewen. co
常熟文化印刷有限公司印刷
开本635×965　1/16　印张15　插页2　字数202,000
2012年8月第1版　2023年2月第9次印刷
印数:16,801—17,900
ISBN 978-7-5325-6337-1
I·2491　定价:32.00元
如有质量问题,请与承印公司联系

总　目

拾遗记 …………………………………………………………………… I

异苑 …………………………………………………………………… 69

幽明录 …………………………………………………………………… 175

续齐谐记 …………………………………………………………………… 223

拾 遗 记

［前秦］王　嘉　撰

［梁］　萧　绮　录

　　　王根林　校点

校 点 说 明

《拾遗记》十卷,又称《拾遗录》、《王子年拾遗记》,十六国时期前秦人王嘉撰,梁萧绮录。王嘉,字子年,陇西安阳(今甘肃渭源)人。史载他有方术,隐居,不与世人交。苻坚屡次征召不起,终被后秦姚苌杀死。南朝梁萧绮为本书作录,录即评论的意思。萧绮在为本书所作序中说,原书为十九卷,经战乱颇有失佚,绮于是辑集残文,合为十卷。应该说,萧绮在保存、整理《拾遗记》方面,是有很大贡献的。

本书所记事,起庖牺,迄晋末。其前九卷,按朝代顺序叙述历史传说、神话故事和奇闻异事,第十卷为记诸大名山,体例有些奇特。它在内容上的一大特点,是想象力丰富,颇有科学幻想成分。按功能来说,它所写的"沦波舟"极似今日的潜水艇,"贯月槎"极似宇宙飞船,"曳影剑"极似导弹,"玉人"则极似机器人。它写的故事情节曲折,辞藻赡丽,刘勰在《文心雕龙》中就称它"事丰奇伟,辞富膏腴"。其中不少故事成为后代传奇小说的蓝本,故《四库全书总目》称其"历代词人,取材不竭"。

《拾遗记》今见最早的本子,是明世德堂的翻宋刻本,稍后的《汉魏丛书》本、《古今逸史》本均属这一系统。另一系统是《稗海》本,文字与前本有较大差异,且无标题,萧"录"也不完全。今以《古今逸史》本为底本,而校以他本,予以分段、标点出版。

目　　录

序 .... 萧绮　7

卷一

春皇庖牺 9

炎帝神农 9

轩辕黄帝 10

少昊 11

颛顼 11

高辛 12

唐尧 13

虞舜 14

卷二

夏禹 17

殷汤 18

周 19

卷三

周穆王 23

鲁僖公 24

周灵王 25

卷四

燕昭王五事 30

秦始皇四事 32

卷五

前汉上 35

卷六

前汉下 40

后汉 42

卷七

魏 47

卷八

吴 51

蜀 54

卷九

晋时事 56

卷十

诸名山 62

    昆仑山 62

    蓬莱山 62

    方丈山 63

    瀛洲 64

    员峤山 64

    岱舆山 65

    昆吾山 65

    洞庭山 66

序

萧　绮

　　《拾遗记》者，晋陇西安阳人王嘉字子年所撰，凡十九卷，二百二十篇，皆为残缺。当伪秦之季，王纲迁号，五都沦覆，河洛之地，没为戎墟，宫室榛芜，书藏埋毁。荆棘霜露，岂独悲于前王；鞠为禾黍，弥深嗟于兹代！故使典章散灭，黉馆焚埃，皇图帝册，殆无一存，故此书多有亡散。文起羲、炎已来，事讫西晋之末，五运因循，十有四代。王子年乃搜撰异同，而殊怪必举，纪事存朴，爱广尚奇。宪章稽古之文，绮综编杂之部，《山海经》所不载，夏鼎未之或存，乃集而记矣。辞趣过诞，意旨迂阔，推理陈迹，恨为繁冗。多涉祯祥之书，博采神仙之事，妙万物而为言，盖绝世而弘博矣！

　　世德陵夷，文颇缺略。绮更删其繁紊，纪其实美，搜刊幽秘，捃采残落，言匪浮诡，事弗空诬。推详往迹，则影彻经史；考验真怪，则叶附图籍。若其道业远者，则辞省朴素；世德近者，则文存靡丽。编言贯物，使宛然成章。数运则与世推移，风政则因时回改。至如金绳鸟篆之文，玉牒虫章之字，末代流传，多乖曩迹，虽探研镌写，抑多疑误。及言乎政化，讹乎祯祥，随代而次之。土地山川之域，或以名例相疑；草木鸟兽之类，亦以声状相惑。随所载而区别，各因方而释之，或变通而会其道，宁可采于一说。今搜检残遗，合为一部，凡一十卷，序而录焉。

卷一

春 皇 庖 牺

春皇者,庖牺之别号。所都之国,有华胥之洲。神母游其上,有青虹绕神母,久而方灭,即觉有娠,历十二年而生庖牺。长头修目,龟齿龙唇,眉有白毫,须垂委地。或人曰:岁星十二年一周天,今叶以天时。且闻圣人生皆有祥瑞。昔者人皇蛇身九首,肇自开辟。于时日月重轮,山明海静。自尔以来,为陵成谷,世历推移,难可计算。比于圣德,有逾前皇。礼义文物,于兹始作。去巢穴之居,变茹腥之食,立礼教以导文,造干戈以饰武。丝桑为瑟,均土为埙。礼乐于是兴矣。调和八风,以画八卦,分六位以正六宗。于时未有书契,规天为图,矩地取法,视五星之文,分晷景之度,使鬼神以致群祠,审地势以定川岳,始嫁娶以修人道。庖者,包也,言包含万象。以牺牲登荐于百神,民服其圣,故曰庖牺,亦谓伏羲。变混沌之质,文宓其教,故曰宓牺。布至德于天下,元元之类,莫不尊焉。以木德称王,故曰春皇。其明睿照于八区,是谓太昊。昊者,明也。位居东方,以含养蠢化,叶于木德,其音附角,号曰"木皇"。

炎 帝 神 农

炎帝始教民耒耜,躬勤畎亩之事,百谷滋阜。圣德所感,无不著焉。神芝发其异色,灵苗擢其嘉颖,陆地丹蕖,骈生如盖,香露滴沥,下流成池,因为豢龙之圃。朱草蔓衍于街衢,卿云蔚蔼于丛薄,筑圆丘以祀朝日,饰瑶阶以揖夜光。奏九天之和乐,百兽率舞,八音克谐,木石润泽。时有流云洒液,是谓"霞浆",服之得道,后天而老。有石璘之玉,号曰"夜明",以暗投水,浮而不灭。当斯之时,渐革庖牺之朴，辨文物之用。时有丹雀衔九穗禾，其坠地者，帝乃拾之，以植于田，食者老而不死。采峻锾之铜以为器。峻锾，山名也。下有金井，白气冠其上。人升于其间，雷霆之声，在丁地下。井中之金柔弱，可以缄縢也。

　　录曰：谨按《周易》云：伏羲为上古，观文于天，察理于地，俯仰二仪，经纶万象，至德备于冥昧，神化通于精粹。是以图书著其迹，河洛表其文。变太素之质，改淳远之化，三才之位既立，四维之义乃张。礼乐文物，自兹而始。降于下代，渐相移袭。《八索》载其退轨，《九丘》纪其淳化，备昭籍篆，编列柱史。考验先经，刊详往诰，事列方典，取征群籍，博采百家，求详可证。按《山海经》云："棠帝之山，出浮水玉。巫闾之地，其木多文。"自非道真俗朴，理会冥旨，与四时齐其契，精灵协其德，祯祥之异，胡可致哉！故使迹感诚著，幽只不藏其宝，只心剪害，殊性之类必驯也。以降露成池，蓄龙为圃。及乎夏代，世载绵绝，时有豢龙之官。考诸遐籍，由斯立矣。

轩 辕 黄 帝

　　轩辕出自有熊之国。母曰昊枢，以戊己之日生，故以土德称王也。时有黄星之祥。考定历纪，始造书契。服冕垂衣，故有衮龙之颂。变乘桴以造舟楫，水物为之祥踊，沧海为之恬波。泛河沉璧，有泽马群鸣，山车满野。吹玉律，正璇衡。置四史以主图籍，使九行之士以统万国。九行者，孝、慈、文、信、言、忠、恭、勇、义。以观天地，以祠万灵，亦为九德之臣。薰风至，真人集，乃厌世于昆台之上，留其冠、剑、佩、舄焉。昆台者，鼎湖之极峻处也，立馆于其下。帝乘云龙而游，殊乡绝域，至今望而祭焉。帝以神金铸器，皆铭题。及升遐后，群臣观其铭，皆上古之字，多磨灭缺落。凡所造建，咸刊记其年时，辞迹皆质。诏使百辟群臣受德教者，先列珪玉于兰蒲席上，燃沉榆之香，春杂宝为屑，以沉榆之胶和之为泥，以涂地，分别尊卑华戎之位也。事出《封禅记》。帝使风后负书，常伯荷剑，旦游洹流，夕归阴浦，行万里而一息。洹流如沙尘，足践则陷，其深难测。大风吹沙如雾，中多神龙鱼鳖，皆能飞翔。有石蕖青色，坚而甚轻，从风靡靡，覆其波上，一茎百叶，千年一花。其地一名"沙澜"，言沙涌起而成波澜也。仙人宁封食飞鱼而死，二百年更生。故宁先生游沙海七言颂云："青蕖灼烁千载舒，百龄暂死饵飞鱼。"则此花此鱼也。

少　　昊

少昊以金德王。母曰皇娥，处璇宫而夜织。或乘桴木而昼游，经历穷桑沧茫之浦。时有神童，容貌绝俗，称为白帝之子，即太白之精，降乎水际，与皇娥宴戏，奏婑娟之乐，游漾忘归。穷桑者，西海之滨，有孤桑之树，直上千寻，叶红椹紫，万岁一实，食之后天而老。帝子与皇娥泛于海上，以桂枝为表，结薰茅为旌，刻玉为鸠，置于表端，言鸠知四时之候，故《春秋传》曰"司至"，是也。今之相风，此之遗象也。帝子与皇娥并坐，抚桐峰梓瑟。皇娥倚瑟而清歌曰："天清地旷浩茫茫，万象回薄化无方。浛天荡荡望沧沧，乘桴轻漾著日傍。当其何所至穷桑，心知和乐悦未央。"俗谓游乐之处为桑中也。《诗》中《卫风》云："期我乎桑中。"盖类此也。白帝子答歌："四维八埏眇难极，驱光逐影穷水域。璇宫夜静当轩织。桐峰文梓千寻直，伐梓作器成琴瑟。清歌流畅乐难极，沧湄海浦来栖息。"及皇娥生少昊，号曰穷桑氏，亦曰桑丘氏。至六国时，桑丘子著阴阳书，即其余裔也。少昊以主西方，一号金天氏，亦曰金穷氏。时有五凤，随方之色，集于帝庭，因曰凤鸟氏。金鸣于山，银涌于地。或如龟蛇之类，乍似人鬼之形，有水屈曲亦如龙凤之状，有山盘纡亦如屈龙之势，故有龙山、龟山、凤水之目也。亦因以为姓，末代为龙丘氏，出班固《艺文志》；蛇丘氏，出《西王母神异传》。

颛　　顼

帝颛顼高阳氏，黄帝孙，昌意之子。昌意出河滨，遇黑龙负玄玉图。时有一老叟谓昌意云："生子必叶水德而王。"至十年，颛顼生，手有文如龙，亦有玉图之象。其夜昌意仰视天，北辰下，化为老叟。及颛顼居位，奇祥众祉，莫不总集，不禀正朔者，越山航海而皆至也。帝乃揖四方之灵，群后执珪以礼，百辟各有班序。受文德者，锡以钟磬；受武德者，锡以干戈。有浮金之钟，沉明之磬，以羽毛拂之，则声振百里。石浮于水上，如萍藻之轻，取以为磬，不加磨琢。及朝万国之时，乃奏含英之乐，其音清密，落云间之羽，鲸鲵游涌，海水恬波。有曳影之剑，腾空而舒，若四方有兵，此剑则飞起指其方，则剋伐；未用之时，常于匣里如龙虎之吟。

　　滇海之北，有勃鞮之国。人皆衣羽毛，无翼而飞，日中无影，寿千岁。食以黑河水藻，饮以阴山桂脂。凭风而翔，乘波而至。中国气暄，羽毛之衣，稍稍自落。帝乃更以文豹为饰。献黑玉之环，色如淳漆。贡玄驹千匹。帝以驾铁轮，骋劳殊乡绝域。其人依风泛黑河以旋其国也。

　　阆河之北，有紫桂成林，其实如枣，群仙饵焉。韩终采药四言诗曰："阆河之桂，实大如枣。得而食之，后天而老。"

高　辛

　　帝喾之妃，邹屠氏之女也。轩辕去蚩尤之凶，迁其民善者于邹屠之地，迁恶者于有北之乡。其先以地命族，后分为邹氏、屠氏。女行不践地，常履风云，游于伊、洛。帝乃期焉，纳以为妃。妃常梦吞日，则生一子，凡经八梦，则生八子。世谓为"八神"，亦谓"八翌"，翌，明也，亦谓"八英"，亦谓"八力"，言其神力英明，翌成万象，亿兆流其神睿焉。

　　有丹丘之国，献玛碯瓮，以盛甘露。帝德所洽，被于殊方，以露充于厨也。玛碯，石类也，南方者为之胜。今善别马者，死则破其脑视之。其色如血者，则日行万里，能腾空飞；脑色黄者，日行千里；脑色青者，嘶闻数百里；脑色黑者，入水毛鬣不濡，日行五百里；脑色白者，多力而怒。今为器多用赤色，若是人工所制者，多不成器，亦殊朴拙。

其国人听马鸣则别其脑色。丹丘之地,有夜叉驹跋之鬼,能以赤马脑为瓶、盂及乐器,皆精妙轻丽。中国人有用者,则魑魅不能逢之。一说云,马脑者,言是恶鬼之血,凝成此物。昔黄帝除蚩尤及四方群凶,并诸妖魅,填川满谷,积血成渊,聚骨如岳。数年中,血凝如石,骨白如灰,膏流成泉。故南方有肥泉之水,有白垩之山,望之峨峨,如霜雪矣。又有丹丘,千年一烧,黄河千年一清,至圣之君,以为大瑞。丹丘之野多鬼血,化为丹石,则码磶也。不可斫削雕琢,乃可铸以为器也。当黄帝时,码磶瓮至,尧时犹存,甘露在其中,盈而不竭,谓之宝露,以班赐群臣。至舜时,露已渐减。随帝世之污隆,时淳则露满,时浇则露竭,及乎三代,减于陶唐之庭。舜迁宝瓮于衡山之上,故衡山之岳有宝露坛。舜于坛下起月馆,以望夕月。舜南巡至衡山,百辟群后皆得露泉之赐。时有云气生于露坛,又迁宝瓮于零陵之上。舜崩,瓮沦于地下。至秦始皇通汨罗之流为小溪,径从长沙至零陵,掘地得赤玉瓮,可容八斗,以应八方之数,在舜庙之堂前。后人得之,不知年月。至后汉东方朔识之,朔乃作《宝瓮铭》曰:"宝云生于露坛,祥风起于月馆,望三壶如盈尺,视八鸿如萦带。"三壶,则海中三山也。一曰方壶,则方丈也;二曰蓬壶,则蓬莱也;三曰瀛壶,则瀛洲也。形如壶器。此三山上广、中狭、下方,皆如工制,犹华山之似削成。八鸿者,八方之名;鸿,大也。登月馆以望四海三山,皆如聚米萦带者矣。

唐　尧

帝尧在位,圣德光洽。河洛之滨,得玉版方尺,图天地之形。又获金璧之瑞,文字炳列,记天地造化之始。四凶既除,善人来服,分职设官,彝伦攸叙。乃命大禹,疏川潴泽。有吴之乡,有北之地,无有妖灾。沉翔之类,自相驯扰。幽州之墟,羽山之北,有善鸣之禽,人面鸟喙,八翼一足,毛色如雉,行不践地,名曰青鹢,其声似钟磬笙竽也。《世语》曰:"青鹢鸣,时太平。"故盛明之世,翔鸣薮泽,音中律吕,飞而不行。至禹平水土,栖于川岳,所集之地,必有圣人出焉。自上古铸诸鼎器,皆图像其形,铭赞至今不绝。尧登位三十年,有巨查浮于西海，查上有光，夜明昼灭。海人望其光，乍大乍小，若星月之出入矣。查常浮绕四海，十二年一周天，周而复始，名曰贯月查，亦谓挂星查，羽人栖息其上。群仙含露以漱，日月之光则如暝矣。虞、夏之季，不复记其出没。游海之人，犹传其神伟也。西海之西，有浮玉山。山下有巨穴，穴中有水，其色若火，昼则通晾不明，夜则照耀穴外，虽波涛灌荡，其光不灭，是谓"阴火"。当尧世，其光烂起，化为赤云，丹辉炳映，百川恬澈。游海者铭曰"沉燃"，以应火德之运也。尧在位七十年，有鸾雏岁岁来集，麒麟游于薮泽，枭鸱逃于绝漠。有祇支之国献重明之鸟，一名"双睛"，言双睛在目。状如鸡，鸣似凤。时解落毛羽，肉翮而飞。能搏逐猛兽虎狼，使妖灾群恶不能为害。饴以琼膏。或一岁数来，或数岁不至。国人莫不扫洒门户，以望重明之集。其未至之时，国人或刻木，或铸金，为此鸟之状，置于门户之间，则魑魅丑类自然退伏。今人每岁元日，或刻木铸金，或图画为鸡于牖上，此之遗像也。

虞　舜

　　虞舜在位十年，有五老游于国都，舜以师道尊之，言则及造化之始。舜禅于禹，五老去，不知所从。舜乃置五星之祠以祭之。其夜有五长星出，薰风四起，连珠合璧，祥应备焉。万国重译而至。有大频之国，其民来朝，乃问其灾祥之数。对曰："昔北极之外，有潼海之水，渤潏高隐于日中。有巨鱼大蛟，莫测其形也，吐气则八极皆暗，振鬐则五岳波荡。当尧时，怀山为害，大蛟萦天，萦天则三河俱溢，海渎同流。"三河者，天河、地河、中河是也。此三水有时通壅，至圣之治，水色俱澄，无有流沫。及帝之商均，暴乱天下，则巨鱼吸日，蛟绕于天，故诬妄也。此言吸日而星雨皆坠，抑亦似是而非也。故使后来为之回惑，托以无稽之言，特取其爱博多奇之间，录其广异宏丽之靡矣。舜葬苍梧之野，有鸟如雀，自丹州而来，吐五色之气，氤氲如云，名曰凭霄雀，能群飞衔土成丘坟。此鸟能反形变色，集于峻林之上。在木则为禽，行地则为兽，变化无常。常游丹海之际，时来苍梧之野。衔青砂珠，积成垄阜，名曰"珠丘"。其珠轻细，风吹如尘起，名曰"珠尘"。今苍梧之外，山人采药，时有得青石，圆洁如珠，服之不死，带者身轻。故仙人方回《游南岳七言赞》曰："珠尘圆洁轻且明，有道服者得长生。"

冀州之西二万里，有孝养之国。其俗人年三百岁，而织茅为衣，即《尚书》"岛夷卉服"之类也。死，葬之中野，百鸟衔土为坟，群兽为之掘穴，不封不树。有亲死者，刓木为影，事之如生。其俗骁勇，能啮金石，其舌杪方而本小。手搏千钧，以爪画地，则洪泉涌流。善养禽兽，入海取虬龙，育于圈室，以充祭祀。昔黄帝伐蚩尤，除诸凶害，独表此处为孝养之乡，万国莫不钦仰，故舜封为孝让之国。舜受尧禅，其国执玉帛来朝，特加宾礼，异于余戎狄也。爰及鸟兽昆虫，以应阴阳。至亿万之年，山一轮，海一竭，鱼、蛟陆居，有赤乌如鹏，以翼覆蛟、鱼之上。蛟以尾叩天求雨，鱼吸日之光，冥然则暗如薄蚀矣，众星与雨偕坠。舜乃祷海岳之灵，万国称圣。德之所洽，群祥咸至矣。

南浔之国，有洞穴阴源，其下通地脉。中有毛龙、毛鱼，时蜕骨于旷泽之中。鱼、龙同穴而处。其国献毛龙，一雌一雄，故置豢龙之官。至夏代养龙不绝，因以命族。至禹导川，乘此龙。及四海攸同，乃放河沏。

录曰：按《春秋传》云："星陨如雨，而夜犹明。"《淮南子》云："麒麟斗而日月蚀，鲸鱼死而彗星见。"夫盈虚薄蚀，未详变于圣典；孛彗妖祲，著灾异于图册。麒麟斗，鲸鱼死，靡闻于前经。求诸正诰，殆将昧焉。

录曰：自稽考群籍，伏羲至于轩辕、少昊、高辛、唐、虞之际，禅业相袭，符表名类，未若尧之盛也。按《易纬》云：尧为阳精，叶德乾道，粤若稽古，是谓上圣。惟天为大，惟尧则之。禅业有虞，所谓契叶符同，明象日月。盖其载籍退旷，算纪绵远，德业异纪，神迹各殊。考传闻于前古，求金言于中世，而教道参差，祥德递起，指明群说，能无仿佛！精灵冥昧，至圣之所不语，安以浅末，贬其有无者哉！刘子政曰："凡传闻不如亲闻，亲闻不如亲见。"何则？神化欸忽，出隐难常，非肤受之所考算，恒情之所思测。至如龙火鸟水之异,云凤麟虫之属,魍魉百怪之形,欻忽之像,凭风云而自生,因金玉而相化,未详备于夏鼎,信莫记于山经。贯月槎之诞,重明桂实之说,阳燧出于冰木,阴虫生于炎山,易肠倒舌之民,蜕骨龙肉之景,凭风云而托生,含雨露而蠢育,已表怪于众图,方见伟于群记。茫茫遐迩,眇眇流文,百家迂阔,各尚斯异,非守文于一说者矣。

卷二

夏　禹

尧命夏鲧治水,九载无绩。鲧自沉于羽渊,化为玄鱼,时扬须振鳞,横修波之上,见者谓为"河精"。羽渊与河海通源也。海民于羽山之中,修立鲧庙,四时以致祭祀。常见玄鱼与蛟龙跳跃而出,观者惊而畏矣。至舜命禹疏川奠岳,济巨海则鼋鼍而为梁,逾翠岑则神龙而为驭,行遍日月之墟,惟不践羽山之地,皆圣德之感也。鲧之灵化,其事互说,神变犹一,而色状不同。玄鱼黄能,四音相乱,传写流文,"鲧"字或"鱼"边"玄"也。群疑众说,并略记焉。

录曰:书契之作,肇迹轩史,道朴风淳,文用尚质。降及唐、虞,爰迄三代,世祀遐绝,载历绵远。列圣通儒,忧乎道缺。故使玉牒金绳之书,虫章鸟篆之记,或秘诸岩薮,藏于屋壁;或逢丧乱,经籍事寝。前史旧章,或流散异域。故字体与俗讹移,其音旨随方互改。历商、周之世,又经嬴、汉,简帛焚裂,遗坟残泯。详其朽蠹之余,采掇传闻之说。是以"己亥"正于前疑,"三豕"析于后谬。子年所述,涉乎万古,与圣叶同,摛文求理,斯言如或可据。《尚书》云:"尧殛鲧于羽山。"《春秋传》曰:"其神化为黄能,以入羽渊。"是在山变为能,入水化为鱼也。兽之依山,鱼之附水,各因其性而变化焉。详之正典,爰访杂说,若真若似,并略录焉。

禹铸九鼎,五者以应阳法,四者以象阴数。使工师以雌金为阴鼎,以雄金为阳鼎。鼎中常满,以占气象之休否。当夏桀之世,鼎水忽沸。及周将末,九鼎咸震:皆应灭亡之兆。后世圣人,因禹之迹,代代铸鼎焉。禹尽力沟洫,导川夷岳。黄龙曳尾于前,玄龟负青泥于后。玄龟,河精之使者也。龟额下有印,文皆古篆,字作九州山川之字。禹所穿凿之处，皆以青泥封记其所，使玄龟印其上。今人聚土为界，此之遗象也。

禹凿龙关之山，亦谓之龙门。至一空岩，深数十里，幽暗不可复行，禹乃负火而进。有兽状如豕，衔夜明之珠，其光如烛。又有青犬，行吠于前。禹计可十里，迷于昼夜。既觉渐明，见向来豕犬变为人形，皆著玄衣。又见一神，蛇身人面。禹因与语，神即示禹八卦之图，列于金版之上。又有八神侍侧。禹曰："华胥生圣子，是汝耶？"答曰："华胥是九河神女，以生余也。"乃探玉简授禹，长一尺二寸，以合十二时之数，使量度天地。禹即执持此简，以平定水土。蛇身之神，即羲皇也。

录曰：夫神迹难求，幽暗罔辨，希夷仿佛之间，闻见以之衔惑。若测诸冥理，先坟有所指明。是以彭生假见于贝丘，赵王示形于苍犬，皆文备鲁册，验表齐、汉。远古旷代，事异神同。衔珠吐烛之怪，精灵一其均矣。若夫茫茫禹迹，杳漠神源，非末俗所能推辨矣。观伏羲至于夏禹，岁历悠旷，载祀绵邈，故能与日月共辉，阴阳齐契。万代百王，情异迹至，参机会道，视万龄如旦暮，促累劫于寸阴。何嗟鬼神之可已，而疑羲、禹之相遇乎！

殷　　汤

商之始也，有神女简狄，游于桑野，见黑鸟遗卵于地，有五色文，作"八百"字，简狄拾之，贮以玉筐，覆以朱绂。夜梦神母，谓之曰："尔怀此卵，即生圣子，以继金德。"狄乃怀卵，一年而有娠，经十四月而生契。祚以八百，叶卵之文也。虽遭旱厄，后嗣兴焉。

傅说赁为赭衣者，舂于深岩以自给。梦乘云绕日而行，筮得"利建侯"之卦。岁余，汤以玉帛聘为阿衡也。

纣之昏乱，欲讨诸侯，使飞廉、恶来诛戮贤良，取其宝器，埋于琼台之下。使飞廉等惑所近之国，侯服之内，使烽燧相续。纣登台以望火之所在，乃兴师往伐其国，杀其君，囚其民，收其女乐，肆其淫虐。神人愤怨。时有朱鸟衔火，如星之照耀，以乱烽燧之光。纣乃回惑，使诸国灭其烽燧。于是亿兆夷民乃欢,万国已静。及武王伐纣,樵夫牧竖探高鸟之巢,得玉玺,文曰:"水德将灭,木祚方盛。"文皆大篆,纪殷之世历已尽,而姬之圣德方隆。是以三分天下而其二归周。故蚩蚩之类,嗟殷亡之晚,望周来之迟矣。

师延者,殷之乐人也。设乐以来,世遵此职。至师延,精述阴阳,晓明象纬,莫测其为人。世载辽绝,而或出或隐。在轩辕之世,为司乐之官。及殷时,总修三皇五帝之乐。拊一弦琴则地祇皆升,吹玉律则天神俱降。当轩辕之时,年已数百岁,听众国乐声,以审兴亡之兆。至夏末,抱乐器以奔殷。而纣淫于声色,乃拘师延于阴宫,欲极刑戮。师延既被囚系,奏清商、流徵、涤角之音。司狱者以闻于纣,纣犹嫌曰:"此乃淳古远乐,非余可听说也。"犹不释。师延乃更奏迷魂淫魄之曲,以欢修夜之娱,乃得免炮烙之害。周武王兴师,乃越濮流而逝,或云死于水府。故晋、卫之人,镌石铸金以像其形,立祀不绝矣。

录曰:《三坟》、《五典》及诸纬候杂说,皆言简狄吞燕卵而生契。《诗》云:"天命玄鸟,降而生商。"斯文正矣。此说怀感而生,众言各异,故记其殊别也。傅说去其春筑,释彼佣赁,应翘旄而来相,可谓知几其神矣。同磻溪之归周,异殷相之负鼎,龙蛇遇命,道会则通。斯则往贤之明教,通人之至规。"乐天知命",信之经言也。死且不朽,是谓名也。乌无声誉于后裔,扬风烈于万祀。譬诸金玉,烟埃不能埋其坚贞;比之泾、濮,淄、渭,不能混其澄澈。师延当纣之虐,矫步求存,因权取济,观时徇主,全身获免。所谓困而能通,卒以智免。故影被丹青,形刊金石,爱其和乐之功,贵其神迹之远矣。至如越思计然之利,镌金以旌其德,方斯蔑矣。

周

周武王东伐纣,夜济河。时云明如昼,八百之族,皆齐而歌。有大蜂状如丹鸟,飞集王舟,因以鸟画其旗。翌日而枭纣,名其船曰蜂舟。鲁哀公二年,郑人击赵简子,得其蜂旗,则其类也。事出《太公六韬》。

武王使画其像于幡旗,以为吉兆。今人幡信皆为鸟画,则遗象也。

成王即政三年,有泯离之国来朝。其人称:自发其国,常从云里而行,闻雷霆之声在下;或入潜穴,又闻波涛之声在上。视日月以知方国所向,计寒暑以知年月。考国之正朔,则序历与中国相符。王接以外宾礼也。

四年。旃涂国献凤雏,载以瑶华之车,饰以五色之玉,驾以赤象,至于京师。育于灵禽之苑,饮以琼浆,饴以云实,二物皆出上元仙。方凤初至之时,毛色文彩未彪发;及成王封泰山、禅社首之后,文彩炳耀。中国飞走之类,不复喧鸣,咸服神禽之远至也。及成王崩,冲飞而去。孔子相鲁之时,有神凤游集。至哀公之末,不复来翔,故云:"凤鸟不至。"可为悲矣!

五年。有因祇之国,去王都九万里,献女工一人。体貌轻洁,被纤罗杂绣之衣,长袖修裾,风至则结其衿带,恐飘飖不能自止也。其人善织,以五色丝内于口中,手引而结之,则成文锦。其国人来献,有云昆锦,文似云从山岳中出也;有列堞锦,文似云霞覆城雉楼堞也;有杂珠锦,文似贯珠珮也;有篆文锦,文似大篆之文也;有列明锦,文似列灯烛也。幅皆广三尺。其国丈夫勤于耕稼,一日锄十顷之地。又贡嘉禾,一茎盈车。故时俗四言诗曰:"力勤十顷,能致嘉颖。"

六年。燃丘之国献比翼鸟,雌雄各一,以玉为樊。其国使者皆拳头尖鼻,衣云霞之布,如今朝霞也。经历百有余国,方至京师。其中路山川不可记。越铁岘,泛沸海,蛇洲、蜂岑。铁岘峭砺,车轮刚金为辋,比至京师,轮皆铦锐几尽。又沸海汹涌如煎,鱼鳖皮骨坚强如石,可以为铠。泛沸海之时,以铜薄舟底,蛟龙不能近也。又经蛇洲,则以豹皮为屋,于屋内推车。又经蜂岑,燃胡苏之木,此木烟能杀百虫。经途五十余年,乃至洛邑。成王封泰山,禅社首。使发其国之时并童稚,至京师,须皆白。及还至燃丘,容貌还复少壮。比翼鸟多力,状如鹊,衔南海之丹泥,巢昆岑之玄木,遇圣则来集,以表周公辅圣之祥异也。

七年。南陲之南,有扶娄之国。其人善能机巧变化,易形改服,大则兴云起雾,小则入于纤毫之中。缀金玉毛羽为衣裳。能吐云喷火，鼓腹则如雷霆之声。或化为犀、象、师子、龙、蛇、犬、马之状。或变为虎、兕，口中生人，备百戏之乐，宛转屈曲于指掌间。人形或长数分，或复数寸，神怪歘忽，衒丽于时。乐府皆传此伎，至末代犹学焉，得粗亡精，代代不绝，故俗谓之婆候伎，则扶娄之音，讹替至今。

昭王即位二十年，王坐祇明之室，昼而假寐。忽梦白云蓊蔚而起，有人衣服并皆毛羽，因名羽人。王梦中与语，问以上仙之术。羽人曰："大王精智未开，欲求长生久视，不可得也。"王跪而请受绝欲之教。羽人乃以指画王心，应手即裂。王乃惊寤，而血湿衿席，因患心疾，即却膳撤乐。移于旬日，忽见所梦者复来，语王曰："先欲易王之心。"乃出方寸绿囊，中有续脉明丸、补血精散，以手摩王之臆，俄而即愈。王即请此药，贮以玉缶，缄以金绳。王以涂足，则飞天地万里之外，如游咫尺之内。有得服之，后天而死。

二十四年。涂脩国献青凤、丹鹊各一雌一雄。孟夏之时，凤、鹊皆脱易毛羽。聚鹊翅以为扇，缉凤羽以饰车盖也。扇一名游飘，二名条翻，三名亏光，四名仄影。时东瓯献二女，一名延娟，二名延娱。使二人更摇此扇，侍于王侧，轻风四散，泠然自凉。此二人辩口丽辞，巧善歌笑，步尘上无迹，行日中无影。及昭王沦于汉水，二女与王乘舟，夹拥王身，同溺于水。故江汉之人，到今思之，立祀于江湄。数十年间，人于江汉之上，犹见王与二女乘舟戏于水际。至暮春上巳之日，禊集祠间。或以时鲜甘味，采兰杜包裹，以沉水中。或结五色纱囊盛食，或用金铁之器，并沉水中，以惊蛟龙水虫，使畏之不侵此食也。其水傍号曰招祇之祠。缀青凤之毛为二裘，一名燠质，二名暄肌，服之可以却寒。至厉王流于彘，彘人得而奇之，分裂此裘，遍于彘土。罪入大辟者，抽裘一毫以赎其死，则价直万金。

录曰：武王资圣智而剋伐，观天命以行诛。不驱熊黑之师，不劳三战之旅，一戎衣而定王业，凭神力而协符瑞。至于成王，制礼崇乐，姬德方盛，营洛邑而居九鼎，寝刑庙而万国来宾。虽大禹之隆夏绩，帝乙之兴殷道，未足方焉。故能继后稷之先基，绍公刘之盛德，文、武之迹不坠，故《大雅》称为"令德"。播声教于八荒之外，流仁惠于九围之表。神智之所绥化，遐迩之所来服，靡不越岳航海，交贽于辽险之路。瑰宝殊怪之物，充于王庭；灵禽神兽之类，游集林薮。诡丽殊用之物，镌斫异于人功。方册未之或载，篆素或所不绝。及乎王人风举之使，直指逾于日月之陲，穷昏明之际，觇风星以望路，凭云波而远逝。所谓道通幽微，德被冥昧者也。成、康以降，世禩陵衰。昭王不能弘远业，垂声教，南游荆楚，义乖巡狩，溺精灵于江汉，且极于幸由。水滨所以招问，《春秋》以为深贬。嗟二姬之殉死，三良之贞节。精诚一至，视殒若生。格之正道，不如强谏。楚人怜之，失其死矣。

卷三

周 穆 王

穆王即位三十二年，巡行天下。驭黄金碧玉之车，傍气乘风，起朝阳之岳，自明及晦，穷寓县之表。有书史十人，记其所行之地。又副以瑶华之轮十乘，随王之后，以载其书也。王驭八龙之骏：一名绝地，足不践土；二名翻羽，行越飞禽；三名奔霄，夜行万里；四名超影，逐日而行；五名逾辉，毛色炳耀；六名超光，一形十影；七名腾雾，乘云而奔；八名挟翼，身有肉翅。递而驾焉，按辔徐行，以匝天地之域。王神智远谋，使迹毂遍于四海，故绝异之物，不期而自服焉。

录曰：夫因气含生，罕不以形相别。至于比德方事，龙马则同类焉。是以蔡墨观其智，忌卫相其才。抑亦昭发于图纬，而刊载于宝牒。章皇王之符瑞，叶河洛之祯祥。故以丹青列其形，铜玉传其象。至如骐耳、骅骝、赤骥、白骐之绝，黄渠、山子、逾轮之异，不可得而比也。故能遥碣石而轹倒晷，排阊阖而轶姑徐。非夫归风弥尘之迹，超虚送日之步，安能若是哉！望绛宫而骧首，指琼台而一息，繄可得而齐影矣。至于《诗》《书》所记，名色实多，骈骆丽乎坰野，皎质耀乎空谷。或表形骊紫，被乎青玄，难可尽言矣。其有龙文、骖袤之伦，取其电逝而飚逸，骐骝、驶骤之俦，亦腾骧以称骏。莫不待盛明而皆出，历代之神宝矣。次有蒲梢、啮膝、鱼文、骊驹之类，或擅名于汉右，或珍生于冀北，备饰于涓正，填列于帝皂，进则充服于上襄，而骖骊于瑶辂，退则羁弃于下圈，思驭于帝闲，俟吴班、秦公之见识，仰天门而弥远，窥云路而可难哉！使乎韩哀、孙阳之复执靶，岂伤吻弊策，伏匿而不进焉。自非神彻幽遐，体照冥远，驱驾群龙，穷观天域，详搜迥古，靡得俦焉。

三十六年，王东巡大骑之谷。指春宵宫，集诸方士仙术之要，而螭、鹄、龙、蛇之类，奇种凭空而出。时已将夜，王设长生之灯以自照，一名恒辉。又列璠膏之烛，遍于宫内。又有凤脑之灯。又有冰荷者，出冰壑之中，取此花以覆灯七八尺，不欲使光明远也。西王母乘翠凤之辇而来，前导以文虎、文豹，后列雕麟、紫麈。曳丹玉之履，敷碧蒲之席，黄莞之荐，共玉帐高会。荐清澄琬琰之膏以为酒。又进洞渊红花，嵊州甜雪，昆流素莲，阴岐黑枣，万岁冰桃，千常碧藕，青花白橘。素莲者，一房百子，凌冬而茂。黑枣者，其树百寻，实长二尺，核细而柔，百年一熟。

扶桑东五万里，有磅礴山。上有桃树百围，其花青黑，万岁一实。郁水在磅礴山东，其水小流，在大陂之下，所谓"沉流"，亦名"重泉"。生碧藕，长千常，七尺为常也。条阳山出神蓬，如蒿，长十丈。周初，国人献之，周以为宫柱，所谓"蒿宫"也。中有白橘，花色翠而实白，大如瓜，香闻数里。奏环天之和乐，列以重霄之宝器。器则有岑华镂管，睹泽雕钟，员山静瑟，浮瀛羽磬，抚节按歌，万灵皆聚。环天者，钧天也。和，广也。出《穆天子传》。岑华，山名也，在西海上，有象竹，截为管吹之，为群凤之鸣。睹泽出精铜，可为钟铎。员山，其形员也，有大林，虽疾风震地，而林木不动，以其木为琴瑟，故曰"静瑟"。浮瀛，即瀛洲也。上有青石，可为磬，磬者长一丈，轻若鸿毛，因轻而鸣。西王母与穆王欢歌既毕，乃命驾升云而去。

鲁 僖 公

僖公十四年，晋文公焚林以求介之推。有白鸦绕烟而噪，或集之推之侧，火不能焚。晋人嘉之，起一高台，名曰思烟台。种仁寿木，木似柏而枝长柔软，其花堪食，故《吕氏春秋》云："木之美者，有仁寿之华焉。"即此是也。或云戒所焚之山数百里居人不得设网罗，呼曰"仁鸟"。俗亦谓乌白臆者为慈乌，则其类也。

录曰：楚令尹子革有言曰："昔穆王欲肆心周行，使天下皆有车辙马迹。"考以《竹书》蠹简，求诸石室，不绝金绳。《山经》、《尔雅》，及乎《大传》，虽世历悠远，而记说叶同。名山大川，肆登跻之极，殊乡异俗，莫不臆拜稽颡。东升巨人之台，西宴王母之堂，南渡鼋鼍之梁，北经积羽之地。觞瑶池而赋诗，期井泊而游博。勒石轩辕之丘，绝迹玄圃之上。自开辟以来，载籍所记，未有若斯神异者也。

周　灵　王

周灵王立二十一年，孔子生于鲁襄公之世。夜有二苍龙自天而下，来附徵在之房，因梦而生夫子。有二神女，擎香露于空中而来，以沐浴徵在。天帝下奏钧天之乐，列以颜氏之房。空中有声，言天感生圣子，故降以和乐笙镛之音，异于俗世也。又有五老列于徵在之庭，则五星之精也。夫子未生时，有麟吐玉书于阙里人家，文云："水精之子，系衰周而素王。"故二龙绕室，五星降庭。徵在贤明，知为神异。乃以绣绂系麟角，信宿而麟去。相者云："夫子系殷汤，水德而素王。"至敬王之末，鲁定公二十四年，鲁人锄商田于大泽，得麟，以示夫子。系角之绂，尚犹在焉。夫子知命之将终，乃抱麟解绂，涕泗滂沱。且麟出之时，及解绂之岁，垂百年矣。

　　录曰：详观前史，历览先诰。《援神》、《钩命》之说，六经纬候之志，研其大较，与今所记相符；语乎幽秘，弥深影响。故述作书者，莫不宪章古策，盖以至圣之德列广也。是以尊德崇道，必欲尽其真极。昆华不足以匹其高，沧溟未得以方其广。含生有识，仰之如日月焉。夫子生钟周季，王政浸缺，愍大道之将崩，惜文雅之垂坠。乃搜旧章而定五礼，采遗音而正六乐，故以栋宇生民，舟航万代者也。所谓崇德广业，其谓是乎！孟子云："千年一圣，谓之连步。"自绝笔以来，载历年祀，难可称算。故通人之言，有圣将及，后来诸疑，更发明其章也。

二十三年，起"昆昭"之台，亦名"宣昭"。聚天下异木神工，得崿谷阴生之树。其树千寻，文理盘错，以此一树，而台用足焉。大干为桁栋,小枝为枘桷。其木有龙蛇百兽之形。又筛水精以为泥。台高百丈,升之以望云色。时有苌弘,能招致神异。王乃登台,望云气翁郁。忽见二人乘云而至,须发皆黄,非谣俗之类也。乘游龙飞凤之辇,驾以青螭。其衣皆缝缉毛羽也。王即迎之上席。时天下大旱,地裂木燃。一人先唱:"能为雪霜。"引气一喷,则云起雪飞,坐者皆凛然,宫中池井,坚冰可琢。又设狐腋素裘、紫罴文褥,罴褥是西域所献也,施于台上,坐者皆温。又有一人唱:"能使即席为炎。"乃以指弹席上,而暄风入室,裘褥皆弃于台下。时有容成子谏曰:"大王以天下为家,而染异术,使变夏改寒,以诬百姓。文、武、周公之所不取也。"王乃疏苌弘,而求正谏之士。时异方贡玉人、石镜,此石色白如月,照面如雪,谓之"月镜"。有玉人,机戾自能转动。苌弘言于王曰:"圣德所招也。"故周人以苌弘幸媚而杀之,流血成石,或言成碧,不见其尸矣。

有韩房者,自渠胥国来。献玉骆驼高五尺,虎魄凤凰高六尺,火齐镜广三尺,暗中视物如昼,向镜语,则镜中影应声而答。韩房身长一丈,垂发至膝,以丹砂画左右手如日月盈缺之势,可照百余步。周人见之,如神明矣。灵王末年,亦不知所在。

> 录曰:夫诱于可欲,而正德亏矣;惑于闻见,志用迁矣:周灵之谓乎!尔乃受制于奢,玩神于乱,波荡正教,为之媮薄,淫湎因斯而滋焉。何则?溺此仙道,弃彼儒教,观乎异俗,万代之神绝者也。及其化流遐俗,风被边隅,非正朔之所被服,四气之所含养,而使鬼物随方而竞至,奇精自远而来臻,穷天区而尽地域,反五常而移四序,惚恍形象之间,希夷明昧之际,难可言也。穷幽极智,伟哉伟哉!凡事君尽礼,忠为令德。有违则规谏以竭言,弗从则奉身以求退。故能剖身碎首,莫顾其生,排户触轮,知死不去。如手足卫头目,舟楫济巨川,君臣之义,斯为至矣。而弘违"有犯无隐"之诫,行求媚以取容,身卒见于夷戮,可为哀也。容成、苌弘不并语矣。

师旷者,或出于晋灵之世,以主乐官,妙辨音律,撰兵书万篇。时人莫知其原裔,出没难详也。晋平公之时,以阴阳之学显于当世。熏目为瞽人,以绝塞众虑,专心于星算音律之中。考钟吕以定四时,无毫厘之异。《春秋》不记师旷出何帝之时。旷知命欲终，乃述《宝符》百卷。晋战国时，其书灭绝矣。

老聃在周之末，居反景日室之山，与世人绝迹。惟有黄发老叟五人，或乘鸿鹤，或衣羽毛，耳出于顶，瞳子皆方，面色玉洁，手握青筠之杖，与聃共谈天地之数。及聃退迹为柱下史，求天下服道之术，四海名士，莫不争至。五老，即五方之精也。

浮提之国，献神通善书二人，乍老乍少，隐形则出影，闻声则藏形。出肘间金壶四寸，上有五龙之检，封以青泥。壶中有黑汁，如淳漆，洒地及石，皆成篆隶科斗之字。记造化人伦之始，佐老子撰《道德经》，垂十万言。写以玉牒，编以金绳，贮以玉函。昼夜精勤，形劳神倦。及金壶汁尽，二人刳心沥血，以代墨焉。递钻脑骨取髓，代为膏烛。及髓血皆竭，探怀中玉管，中有丹药之屑，以涂其身，骨乃如故。老子曰："更除其繁紊，存五千言。"及至经成工毕，二人亦不知所往。

　　录曰：庄周云："德配天地，犹假至言。"观乎老氏，崇谦柔以为要，挹虚寂以归真，知大朴之既漓，发玄文以示世。孰能辨其虚无，究斯深寂？是以仲尼贵其德，叶以神灵，极譬二人，以为龙矣。师旷设数千间，卒其春秋之末。《抱朴子》谓为"知音之圣"也。虽容成之妙，大挠之推历，夔、襄之理乐，延州之听，故未之能过也。

师涓出于卫灵公之世，能写列代之乐，善造新曲以代古声，故有四时之乐。春有离鸿去雁应蘋之歌，夏有明晨焦泉朱华流金之调，秋有商风白云落叶吹蓬之曲，冬有凝河流阴沉云之操。以此四时之声，奏于灵公。灵公情涵心惑，忘于政事。蘧伯玉趋阶而谏曰："此虽以发扬气律，终为沉涵淫曼之音，无合于《风》《雅》，非下臣宜荐于君也。"灵公乃去其声而亲政务，故卫人美其化焉。师涓悔其乖于《雅》《颂》，失为臣之道，乃退而隐迹。蘧伯玉焚其乐器于九达之衢，恐后世传造焉。

　　录曰：夫体国以质直为先，导政以谦约为本。故三风十愆，《商书》以之昭誓；无荒无怠，《唐风》贵其遵俭。灵公违诗人之明讽，惟奢纵惑心，虽追悔于初失，能革情于后谏，日月之蚀，无损明焉。伯玉志存规主，秉亮为心。师涓识进退之道，观过知仁。一君二臣，斯可称美。

宋景公之世，有善星文者，许以上大夫之位，处于层楼延阁之上，以望气象。设以珍食，施以宝衣。其食则有渠沧之鼋，煎以桂髓；丛庭之鹞，蒸以蜜沫；淇漳之鳢，脯以青茄；九江珠稻，爨以兰苏；华清夏洁，洒以纤缟。华清，井水之澄华也。饔人视时而叩钟，伺食以击磬，言每食而辄击钟磬也。悬四时之衣，春夏以金玉为饰，秋冬以翡翠为温。烧异香于台上。忽有野人，被草负笈，扣门而进，曰："闻国君爱阴阳之术，好象纬之秘，请见。"景公乃延之崇堂。语则及未来之兆，次及已往之事，万不失一。夜则观星望气，昼则执算披图。不服宝衣，不甘奇食。景公谢曰："今宋国丧乱，微君何以辅之?"曰："德之不均，乱将及矣。修德以来人，则天应之祥，人美其化。"景公曰："善。"遂赐姓曰子氏，名之曰韦，即子韦也。

录曰：宋子韦世司天部，妙观星纬，抑亦梓慎、裨竈之俦。景公待之若神，礼以上列，服以绝世之衣，膳以殊方之味，虽谓大禽之旨，华蕤龙衮之服，及斯固陋矣。《春秋》因生以赐姓，亦缘事以显名，号司星氏。至六国之末，著阴阳之书。出班固《艺文志》。

越谋灭吴，蓄天下奇宝、美人、异味进于吴。杀三牲以祈天地，杀龙蛇以祠川岳。矫以江南亿万户民，输吴为佣保。越又有美女二人，一名夷光，二名脩明，即西施、郑旦之别名。以贡于吴。吴处以椒华之房，贯细珠为帘幌，朝下以蔽景，夕卷以待月。二人当轩并坐，理镜靓妆于珠幌之内。窃窥者莫不动心惊魄，谓之神人。吴王妖惑忘政。及越兵入国，乃抱二女以逃吴苑。越军乱入，见二女在树下，皆言神女，望而不敢侵。今吴城蛇门内有朽株，尚为祠神女之处。初，越王入吴国，有丹乌夹王而飞，故勾践之霸也，起望乌台，言丹乌之异也。范蠡相越，日致千金。家童闲算术者万人。收四海难得之货，盈积于越都，以为器。铜铁之类，积如山阜，或藏之井堑，谓之"宝井"。奇容丽色，溢于闺房，谓之"游宫"。历古以来，未之有也。

录曰：《易》尚谦益，《书》著明谟，人臣之体，以斯为上。《传》曰："知无不为，忠也。"范蠡陈工术之本，而勾践乃霸，卒王百越，称为富强,斯其力矣。故能佯狂以晦迹,浮海以避世,因三徙以别名,功遂身退,斯其义也。至如"宝井"、"游宫",虽奢不惑。夫兴亡之道,匪推之历数,亦由才力而致也。观越之灭吴,屈柔之礼尽焉,荐非世之绝姬,收历代之神宝,斯皆迹殊而事同矣。博识君子,验斯言焉。

卷四

燕 昭 王五事

王即位二年,广延国来献善舞者二人:一名旋娟,一名提谟,并玉质凝肤,体轻气馥,绰约而窈窕,绝古无伦。或行无迹影,或积年不饥。昭王处以单绡华幄,饮以瑞珉之膏,饴以丹泉之粟。王登崇霞之台,乃召二人,徘徊翔舞,殆不自支。王以缨缕拂之,二人皆舞。容冶妖丽,靡于鸾翔,而歌声轻飏。乃使女伶代唱其曲,清响流韵,虽飘梁动木,未足嘉也。其舞一名《萦尘》,言其体轻与尘相乱;次曰《集羽》,言其婉转若羽毛之从风;末曰《旋怀》,言其支体缠曼,若入怀袖也。乃设麟文之席,散荃芜之香。香出波弋国,浸地则土石皆香,著朽木腐草,莫不郁茂,以熏枯骨,则肌肉皆生。以屑喷地,厚四五寸,使二女舞其上,弥日无迹,体轻故也。时有白鸾孤翔,衔千茎穟。穟于空中自生,花实落地,则生根叶。一岁百获,一茎满车,故曰"盈车嘉穟"。麟文者,错杂宝以饰席也,皆为云霞麟凤之状。昭王复以衣袖麾之,舞者皆止。昭王知其神异,处于崇霞之台,设枕席以寝宴,遣侍人以卫之。王好神仙之术,玄天之女,托形作此二人。昭王之末,莫知所在。或云游于汉江,或伊洛之滨。

四年,王居正寝,召其臣甘需曰:"寡人志于仙道,欲学长生久视之法,可得遂乎?"需曰:"臣游昆台之山,见有垂白之叟,宛若少童,貌如冰雪,形如处子。血清骨劲,肤实肠轻,乃历蓬、瀛而超碧海,经涉升降,游往无穷,此为上仙之人也。盖能去滞欲而离嗜爱,洗神灭念,常游于太极之门。今大王以妖容惑目,美味爽口,列女成群,迷心动虑,所爱之容,恐不及玉,纤腰皓齿,患不如神。而欲却老云游,何异操圭爵以量沧海,执毫厘而回日月,其可得乎!"昭王乃彻色减味,居乎正寝,赐甘需羽衣一袭,表其墟为"明真里"也。

七年，沐胥之国来朝，则申毒国之一名也。有道术人名尸罗。问其年，云：“百三十岁。”荷锡持瓶，云：“发其国五年乃至燕都。”善衔感之术。于其指端出浮屠十层，高三尺，及诸天神仙，巧丽特绝。人皆长五六分，列幢盖，鼓舞，绕塔而行，歌唱之音，如真人矣。尸罗喷水为雾雾，暗数里间。俄而复吹为疾风，雾雾皆止。又吹指上浮屠，渐入云里。又于左耳出青龙，右耳出白虎。始入之时，才一二寸，稍至八九尺。俄而风至云起，即以一手挥之，即龙虎皆入耳中。又张口向日，则见人乘羽盖，驾螭、鹄，直入于口内。复以手抑胸上，而闻怀袖之中，轰轰雷声。更张口，则见羽盖、螭、鹄相随从口中而出。尸罗常坐日中，渐渐觉其形小，或化为老叟，或为婴儿，倏忽而死，香气盈室，时有清风来吹之，更生如向之形。咒术衔感，神怪无穷。

八年，卢扶国来朝，渡河万里方至。云其国中山川无恶禽兽，水不扬波，风不折木。人皆寿三百岁，结草为衣，是谓卉服。至死不老，咸知孝让。寿登百岁以上，相敬如至亲之礼。死葬于野外，以香木灵草瘗掩其尸。闾里助送，号泣之音，动于林谷，河源为之流止，春木为之改色。居丧水浆不入于口，至死者骨为尘埃，然后乃食。昔大禹随山导川，乃旌其地为无老纯孝之国。

录曰：夫含灵禀气，取象二仪；受命因生，包乎五德。故守淳明以循身，资施以为本。义缘天属，生尽爱敬之容；体自心慈，死结追终之慕。盖处物之常情，有识之常道。是以忠谏一至，则会理以通幽；神义由心，则祇灵为之昭感。迹显神著，表降群祥，行道不违，远迩旌德。美乎异国之人，隔绝王化，阙闻大道，语其国法，华戎有殊，观其政教，颇令殊俗。礼在四夷，事存诸诰，孝让之风，莫不尚也。

九年，昭王思诸神异。有谷将子，学道之人也，言于王曰：“西王母将来游，必语虚无之术。”不逾一年，王母果至。与昭王游于燧林之下，说炎帝钻火之术。取绿桂之膏，燃以照夜。忽有飞蛾衔火，状如丹雀，来拂于桂膏之上。此蛾出于员丘之穴。穴洞达九天，中有细珠如流沙，可穿而结，因用为珮，此是神蛾之矢也。蛾凭气饮露，飞不集下，群仙杀此蛾合丹药。西王母与群仙游员丘之上，聚神蛾，以琼筐盛之,使玉童负筐,以游四极,来降燕庭,出此蛾以示昭王。王曰:"今乞此蛾以合九转神丹!"王母弗与。昭王坐握日之台参云,上可扪日。时有黑鸟白头,集王之所,衔洞光之珠,圆径一尺。此珠色黑如漆,悬照于室内,百神不能隐其精灵。此珠出阴泉之底,阴泉在寒山之北,员水之中,言水波常圆转而流也。有黑蚌飞翔,来去于五岳之上。昔黄帝时,雾成子游寒山之岭,得黑蚌在高崖之上,故知黑蚌能飞矣。至燕昭王时,有国献于昭王。王取瑶漳之水,洗其沙泥,乃嗟叹曰:"自悬日月以来,见黑蚌生珠已八九十遇,此蚌千岁一生珠也。"珠渐轻细。昭王常怀此珠,当隆暑之月,体自轻凉,号曰"销暑招凉之珠"也。

秦　始　皇四事

　　始皇元年,骞霄国献刻玉善画工名裔。使含丹青以漱地,即成魑魅及诡怪群物之象;刻玉为百兽之形,毛发宛若真矣。皆铭其臆前,记以日月。工人以指画地,长百丈,直如绳墨。方寸之内,画以四渎五岳列国之图。又画为龙凤,骞翥若飞。皆不可点睛,或点之,必飞走也。始皇嗟曰:"刻画之形,何得飞走!"使以淳漆各点两玉虎一眼睛,旬日则失之,不知所在。山泽之人云:"见二白虎,各无一目,相随而行,毛色相似,异于常见者。"至明年,西方献两白虎,各无一目。始皇发槛视之,疑是先所失者,乃刺杀之。检其胸前,果是元年所刻玉虎。迄胡亥之灭,宝剑神物,随时散乱也。

　　始皇好神仙之事,有宛渠之民,乘螺舟而至。舟形似螺,沉行海底,而水不浸入,一名"沦波舟"。其国人长十丈,编鸟兽之毛以蔽形。始皇与之语,及天地初开之时,了如亲睹。曰:"臣少时蹑虚却行,日游万里。及其老朽也,坐见天地之外事。臣国在咸池日没之所九万里,以万岁为一日。俗多阴雾,遇其晴日,则天豁然云裂,耿若江汉。则有玄龙黑凤,翻翔而下。及夜,燃石以继日光。此石出燃山,其土石皆自光澈,扣之则碎,状如粟,一粒辉映一堂。昔炎帝始变生食,用此火也。国人今献此石。或有投其石于溪涧中,则沸沫流于数十里,名其水为焦渊。臣国去轩辕之丘十万里，少典之子采首山之铜，铸为大鼎。臣先望其国有金火气动，奔而往视之，三鼎已成。又见冀州有异气，应有圣人生，果有庆都生尧。又见赤云入于酆镐，走而往视，果有丹雀瑞昌之符。"始皇曰："此神人也。"弥信仙术焉。

始皇起云明台，穷四方之珍木，搜天下之巧工。南得烟丘碧树，郦水燃沙，贲都朱泥，云冈素竹；东得葱峦锦柏，漂檖龙松，寒河星柘，岏云之梓；西得漏海浮金，狼渊羽璧，涤嶂霞桑，沉塘员筹；北得冥阜乾漆，阴坂文杞，寒流黑魄，暗海香琼，珍异是集。二人腾虚缘木，挥斤斧于空中，子时起工，午时已毕。秦人谓之"子午台"，亦言于子午之地，各起一台，二说疑也。

张仪、苏秦二人，同志好学，迭剪发而鬻之，以相养。或佣力写书，非圣人之言不读。遇见《坟》《典》，行途无所题记，以墨书掌及股里，夜还而写之，析竹为简。二人每假食于路，剥树皮编以为书帙，以盛天下良书。尝息大树之下，假息而寐。有一先生问："二子何勤苦也？"仪、秦又问之："子何国人？"答曰："吾生于归谷。"亦云鬼谷，鬼者，归也。又云，归者，谷名也。乃请其术，教以干世出俗之辩，即探胸内，得二卷说书，言辅时之事。《古史考》云："鬼谷子也，鬼、归，音相近也。"秦王子婴立，凡百日，郎中赵高谋杀之。子婴寝于望夷之宫，夜梦有人身长十丈，须鬓绝青，纳玉舄而乘丹车，驾朱马而至宫门。云欲见秦王子婴，阍者许进焉。子婴乃与言。谓子婴曰："余是天使也，从沙丘来。天下将乱，当有同姓名欲相诛暴。"翌日乃起，子婴则疑赵高，囚高于咸阳狱，悬于井中，七日不死；更以镬汤煮，七日不沸，乃戮之。子婴问狱吏曰："高其神乎？"狱吏曰："初囚高之时，见高怀有一青丸，大如雀卵。"时方士说云："赵高先世受韩终丹法，冬月坐于坚冰，夏日卧于炉上，不觉寒热。"及高死，子婴弃高尸于九达之路，泣送者千家。或见一青雀从高尸中出，直入云。九转之验，信于是乎。子婴所梦，即始皇之灵；所著玉舄，则安期先生所遗也。鬼魅之理，万世一时。

录曰：夫舍灵挺质，罕不羡乎久视，祈以长生。苟乖才性，企之弥远。何者？夫层宫峻宇肆其奢，绰约柔曼纵其惑，《九

韶》《六英》悦其耳,喜怒刑赏示其威,精灵溺于常滞,志意疲于
驰策,销竭神虑,翦刻天和。秦正自以功高三皇,世逾五帝,取惑
徐市,身殒沙丘。燕昭能延礼群神,百灵响集。并欲弃机事以游
真极,去尘垢而望云飞。譬犹等沟浍于天河,齐朝菌于椿木,超
二仪于昆峦,升一匮而扳重汉。何则望之与无阶矣。《抱朴子》
曰:"学若牛毛,得如麟角。"至如秦皇、燕昭之智,虽微鉴仙体,而
未入玄真。盖犹褊惑尚多,滞情未尽。至于神通玄化,说变万
端。故曰徐行云垂之俦,驾影乘霞之侣,可得齐肩比步焉,与之
栖息也。穷神绝异,随方而来;衔绝殊形,越境而至。托神以尽
变,因变以穷神,触象难名,灵怪莫测。《淮南子》云:"含雷吐火
之术,出于万毕之家。"方鼋羽于洪炉,炎烟火于冰水,漏海螺船
之属,飞珠沉霞之类,千途万品,书籍之所未详,自神化以来,神
奇莫与为例,岂末代浮诬所能窥仰,夭龄促知之所效哉!今观子
年之记,苏、张二人,异辞同迹,或以字音相类,或以土俗为殊,验
诸坟史,岂惟秦、仪之见异者哉!

卷五

前　汉　上

汉太上皇微时,佩一刀,长三尺,上有铭,其字难识,疑是殷高宗伐鬼方之时所作也。上皇游酆沛山中。寓居穷谷里有人冶铸。上皇息其傍,问曰:"此铸何器?"工者笑而答曰:"为天子铸剑,慎勿泄言!"上皇谓为戏言,而无疑色。工人曰:"今所铸铁钢砺难成,若得公腰间佩刀杂而冶之,即成神器,可以克定天下,星精为辅佐,以歼三猾。木衰火盛,此为异兆也。"上皇曰:"余此物名为匕首,其利难俦,水断虬龙,陆斩虎兕,魑魅罔两,莫能逢之。斫玉镂金,其刃不卷。"工人曰:"若不得此匕首以和铸,虽欧冶专精,越砥敛锷,终为鄙器。"上皇则解匕首,投于炉中。俄而烟焰冲天,日为之昼晦。及乎剑成,杀三牲以衅祭之。铸工问上皇:"何时得此匕首?"上皇云:"秦昭襄王时,余行逢一野人,于陌上授余,云是殷时灵物,世世相传,上有古字,记其年月。"及成剑,工人视之,其铭尚存,叶前疑也。工人即持剑授上皇。上皇以赐高祖,高祖长佩于身,以歼三猾。及天下已定,吕后藏于宝库。库中守藏者见白气如云,出于户外,状如龙蛇。吕后改库名曰"灵金藏"。及诸吕擅权,白气亦灭。及惠帝即位,以此库贮禁兵器,名曰"灵金内府"也。

录曰:夫精灵变化,其途非一;冥会之感,理故难常。至如《坟》谶所载,咸取验于已往;歌谣俚说,皆求征于未来。考图披籍,往往而编列矣。观乎工人之说,谅妖言之远效焉。三尺之剑,以应天地之数。故三为阳数,亦应天地之德。按《钩命诀》曰:"萧何为昴星精,项羽、陈胜、胡亥为三猾。"国为木德,汉叶火位,此其征也。

孝惠帝二年,四方咸称车书同文轨,天下太平,干戈偃息。远国殊乡,重译来贡。时有道士,姓韩名稚,则韩终之胤也。越海而来,云是东海神使,闻圣德洽乎区宇,故悦服而来庭。时有东极,出扶桑之外,有泥离之国来朝。其人长四尺,两角如茧,牙出于唇,自乳以来,有灵毛自蔽,居于深穴,其寿不可测也。帝云:"方士韩稚解绝国人言,令问人寿几何?经见几代之事?"答曰:"五运相承,迭生迭死,如飞尘细雨,存殁不可论算。"问:"女娲以前可闻乎?"对曰:"蛇身已上,八风均,四时序,不以威悦揽乎精运。"又问燧人以前,答曰:"自钻火变腥以来,父老而慈,子寿而孝。自轩皇以来,屑屑焉以相诛灭,浮靡嚣动,淫于礼,乱于乐,世德浇讹,淳风坠矣。"稚以答闻帝。帝曰:"悠哉杳昧,非通神达理者,难可语乎!斯远矣。"稚于斯而退,莫知其所之。帝使诸方士立仙坛于长安城北,名曰"祠韩馆"。俗云:"司寒之神,祀于城阴。"按《春秋传》曰"以享司寒",其音相乱也,定是"祠韩馆"。至二年,诏宫女百人,文锦万匹,楼船十艘,以送泥离之使,大赦天下。

汉武帝思怀往者李夫人,不可复得。时始穿昆灵之池,泛翔禽之舟。帝自造歌曲,使女伶歌之。时日已西倾,凉风激水,女伶歌声甚遒,因赋《落叶哀蝉》之曲曰:"罗袂兮无声,玉墀兮尘生。虚房冷而寂寞,落叶依于重扃。望彼美之女兮安得,感余心之未宁!"帝闻唱动心,闷闷不自支持,命龙膏之灯以照舟内,悲不自止。亲侍者觉帝容色愁怨,乃进洪梁之酒,酌以文螺之卮。卮出波祇之国。酒出洪梁之县,此属右扶风,至哀帝废此邑,南人受此酿法。今言"云阳出美酒",两声相乱矣。帝饮三爵,色悦心欢,乃诏女伶出侍。帝息于延凉室,卧梦李夫人授帝蘅芜之香。帝惊起,而香气犹著衣枕,历月不歇。帝弥思求,终不复见,涕泣洽席,遂改延凉室为遗芳梦室。初,帝深嬖李夫人,死后常思梦之,或欲见夫人。帝貌憔悴,嫔御不宁。诏李少君,与之语曰:"朕思李夫人,其可得见乎?"少君曰:"可遥见,不可同于帷幄。暗海有潜英之石,其色青,轻如毛羽。寒盛则石温,暑盛则石冷。刻之为人像,神悟不异真人。使此石像往,则夫人至矣。此石人能传译人言语,有声无气,故知神异也。"帝曰:"此石像可得否?"少君曰:"愿得楼船百艘,巨力千人,能浮水登木者,皆使明于道术,赍不死之药。"乃至暗海,经十年而还。昔之去人,或升云不归,或托形假死,获反者四五人。得此石,即命工人依先图刻作夫人形。刻成,置于轻纱幕里,宛若生时。帝大悦,问少君曰:"可得近乎?"少君曰:"譬如中宵忽梦,而昼可得近观乎? 此石毒,宜远望,不可逼也。勿轻万乘之尊,惑此精魅之物!"帝乃从其谏。见夫人毕,少君乃使春此石人为丸,服之,不复思梦。乃筑灵梦台,岁时祀之。

　　元封元年,浮忻国贡兰金之泥。此金出汤泉,盛夏之时,水常沸涌,有若汤火,飞鸟不能过。国人常见水边有人冶此金为器,金状混混若泥,如紫磨之色;百铸,其色变白,有光如银,即"银烛"是也。常以此泥封诸函匣及诸宫门,鬼魅不敢干。当汉世,上将出征及使绝国,多以此泥为玺封。卫青、张骞、苏武、傅介子之使,皆受金泥之玺封也。武帝崩后,此泥乃绝焉。

　　日南之南,有淫泉之浦。言其水浸淫从地而出成渊,故曰"淫泉"。或言此水甘软,男女饮之则淫。其水小处可滥筋褰涉,大处可方舟沿泝,随流屈直。其水激石之声,似人之歌笑,闻者令人淫动,故俗谓之"淫泉"。时有凫雁,色如金,群飞戏于沙濑,罗者得之,乃真金凫也。当秦破骊山之坟,行野者见金凫向南而飞,至淫泉。后宝鼎元年,张善为日南太守,郡民有得金凫以献。张善该博多通,考其年月,即秦始皇墓之金凫也。昔始皇为冢,敛天下瑰异,生殉工人,倾远方奇宝于冢中,为江海川渎及列山岳之形。以沙棠沉檀为舟楫,金银为凫雁,以琉璃杂宝为龟鱼。又于海中作玉象鲸鱼,衔火珠为星,以代膏烛,光出墓中,精灵之伟也。昔生埋工人于冢内,至被开时,皆不死。工人于冢内琢石为龙凤仙人之像,及作碑文辞赞。汉初发此冢,验诸史传,皆无列仙龙凤之制,则知生埋匠人之所作也。后人更写此碑文,而辞多怨酷之言,乃谓为"怨碑"。《史记》略而不录。

　　董偃常卧延清之室,以画石为床,文如锦也。石体甚轻,出郅支国。上设紫琉璃帐,火齐屏风,列灵麻之烛,以紫玉为盘,如屈龙,皆用杂宝饰之。侍者于户外扇偃。偃曰:"玉石岂须扇而后凉耶?"侍者乃却扇,以手摸,方知有屏风。又以玉精为盘,贮冰于膝前。玉精与冰同其洁澈。侍者谓冰之无盘,必融湿席,乃合玉盘拂之,落阶下,冰玉俱碎，偓以为乐。此玉精，千涂国所贡也。武帝以此赐偓。哀、平之世，民家犹有此器，而多残破。及王莽之世，不复知其所在。

太初二年，大月氏国贡双头鸡，四足一尾，鸣则俱鸣。武帝置于甘泉故馆，更以余鸡混之，得其种类而不能鸣。谏者曰："《诗》云：'牝鸡无晨。'一云：'牝鸡之晨，惟家之索。'今雄类不鸣，非吉祥也。"帝乃送还西域。行至西关，鸡反顾望汉宫而哀鸣。故谣言曰："三七末世，鸡不鸣，犬不吠，宫中荆棘乱相系，当有九虎争为帝。"至王莽篡位，将军有九虎之号。其后丧乱弥多，宫掖中生蒿棘，家无鸡鸣犬吠。此鸡未至月支国，乃飞于天汉，声似鹍鸡，翱翔云里。一名暄鸡，昆、暄之音相类。

天汉二年，渠搜国之西，有祈沦之国。其俗淳和，人寿三百岁。有寿木之林，一树千寻，日月为之隐蔽。若经憩此木下，皆不死不病。或有泛海越山来会其国，归怀其叶者，则终身不老。其国人缀草毛为绳，结网为衣，似今之罗纨也。至元狩六年，渠搜国献网衣一袭。帝焚于九达之道，恐后人征求，以物奢费，烧之，烟如金石之气。

太始二年，西方有因霄之国，人皆善啸。丈夫啸闻百里，妇人啸闻五十里，如笙竽之音，秋冬则声清亮，春夏则声沉下。人舌尖处倒向喉内，亦曰两舌重沓，以爪徐刮之，则啸声逾远。故《吕氏春秋》云"反舌殊乡之国"，即此谓也。有至圣之君，则来服其化。

录曰：汉兴，继六国之遗弊，天下思于圣德。是以黔黎嗟秦亡之晚，恨汉来之迟。高祖肇基帝业，恢张区宇。孝惠务宽刑辟，以成无为之治，德侔三王，教通四海。至于武帝，世载愈光，省方巡岳，标元崇号，闻礼乐以恢风，广文义以饰俗，改律历而建封禅，祀百神以招群瑞。虽"钦明"茂于《唐书》，"文思"称于《虞典》，岂尚兹焉！观乎周、孔之教，不贵虚无之学。武帝修黄老，治却老之方，求报无福之祀。是以张敞切言，使远斥仙术，指以苌弘、楚襄怀、秦皇、徐福之事，故辛垣之徒，卒见夷戮。夫仙者，尚冲静以忘形体，守寂寞而祛嚣务。武帝好微行而尚剋伐，恢宫宇而广苑囿，永乖长生久视之法，失玄一守道之要，悔少翁之先诛，惑栾大之诡说。至如李夫人，缅心昵爱，专媚兰闺，思沉魂之更生，饬新宫以延伫。盖犹婞惑之宠过炽，累心之结未祛。欲竦身云霓之表，与天地而齐毕，由系风晷，其可阶乎？虽未及玄真，颇参神邃。是以幽明不能藏其殊妙，万象无所隐其精灵。考诸仙部，验以众说，未有异于斯乎！夫五运递兴，数之常理，金、土之兆，魏、晋当焉。董偃起自贩珠之徒，因庖宰而升宠，窃幸一时，富倾海宇，内蓄神异之珍，衔非世之宝；一朝绝爱，信盛衰之有兆乎！夫为棺椁者，以防蝼蚁之患，权敛骨之离，圣人使合其正礼，恶其逾费，疾其过薄。至如澹台灭明之俭，盛姬、秦皇之奢，皆失于节用。嗟乎！形销神灭，欻为一棺之土，为陵成谷，琼珛美宝，奄为烬尘，斯则费生加死，无益身名也。冥然长往，何忆曩时之盛？仲尼云："不如速朽。"敛手足形，圣人以斯昭诫，岂不尚哉！

卷六

前　汉　下

昭帝始元元年，穿淋池，广千步。中植分枝荷，一茎四叶，状如骈盖，日照则叶低荫根茎，若葵之卫足，名"低光荷"。实如玄珠，可以饰佩。花叶难萎，芬馥之气，彻十余里。食之令人口气常香，益脉理病。宫人贵之，每游宴出入，必皆含嚼。或剪以为衣，或折以蔽日，以为戏弄。《楚辞》所谓"折芰荷以为衣"，意在斯也。亦有倒生菱，茎如乱丝，一花千叶，根浮水上，实沉泥中，名"紫菱"，食之不老。帝时命水嬉，游宴永日。土人进一巨槽，帝曰："桂楫松舟，其犹重朴；况乎此槽，可得而乘也？"乃命以文梓为船，木兰为桅。刻飞鸾翔鹢，饰于船首，随风轻漾，毕景忘归，乃至通夜。使宫人歌曰："秋素景兮泛洪波，挥纤手兮折芰荷，凉风凄凄扬棹歌，云光开曙月低河，万岁为乐岂云多！帝乃大悦。起商台于池上。及乎末岁，进谏者多，遂省薄游幸，埋毁池台，鸾舟荷芰，随时废灭。今台无遗址，沟池已平。

宣帝地节元年，乐浪之东，有背明之国，来贡其方物。言其乡在扶桑之东，见日出于西方。其国昏昏常暗，宜种百谷，名曰"融泽"，方三千里。五谷皆良，食之后天而死。有浃日之稻，种之十旬而熟；有翻形稻，言食者死而更生，夭而有寿；有明清稻，食者延年也；清肠稻，食一粒历年不饥。有摇枝粟，其枝长而弱，无风常摇，食之益髓；有凤冠粟，似凤鸟之冠，食者多力；有游龙粟，叶屈曲似游龙也；有琼膏粟，白如银，食此二粟，令人骨轻。有绕明豆，其茎弱，自相萦缠；有挟剑豆，其荚形似人挟剑，横斜而生；有倾离豆，言其豆见日，叶垂覆地，食者不老不疾。有延精麦，延寿益气；有昆和麦，调畅六府；有轻心麦，食者体轻；有醇和麦，为麹以酿酒，一醉累月，食之凌冬可袒；有含露麦，穟中有露，味甘如饴。有紫沉麻，其实不浮；有云冰麻，实冷而有光,宜为油泽;有通明麻,食者夜行不持烛,是苣藤也,食之延寿,后天而老。其北有草,名虹草,枝长一丈,叶如车轮,根大如毂,花似朝虹之色。昔齐桓公伐山戎,国人献其种,乃植于庭,云霸者之瑞也。有宵明草,夜视如列烛,昼则无光,自消灭也。有紫菊,谓之日精,一茎一蔓,延及数亩,味甘,食者至死不饥渴。有焦茅,高五丈,燃之成灰,以水灌之,复成茅也,谓之灵茅。有黄渠草,映日如火,其坚韧若金,食者焚身不热;有梦草,叶如蒲,茎如著,采之以占吉凶,万不遗一;又有闻遐草,服者耳聪,香如桂,茎如兰。其国献之,多不生实,叶多萎黄,诏并除焉。元凤二年,于淋池之南起桂台,以望远气。东引太液之水。有一连理树,上枝跨于渠水,下枝隔岸而南,生与上枝同一株。帝常以季秋之月,泛蘅兰云鹢之舟,穷暑系夜,钓于台下。以香金为钩,缟丝为纶,丹鲤为饵,钓得白蛟,长三丈,若大蛇,无鳞甲。帝曰:"非祥也。"命太官为鲊,肉紫骨青,味甚香美,班赐群臣。帝思其美,渔者不能复得,知为神异之物。

二年,含涂国贡其珍怪。其使云:"去王都七万里。鸟兽皆能言语。鸡犬死者,埋之不朽。经历数世,其家人游于山阿海滨,地中闻鸡犬鸣吠,主乃掘取,还家养之,毛羽虽秃落更生,久乃悦泽。"

张掖郡有郅族之盛,因以名也。郅奇字君珍,居丧尽礼。所居去墓百里,每夜行,常有飞鸟衔火夹之,登山济水,号泣不息,未尝以险难为忧,虽夜如昼之明也。以泪洒石则成痕,着朽木枯草,必皆重茂。以泪浸地即碱,俗谓之"碱乡"。至昭帝,嘉其孝异,表铭其邑曰"孝感乡",四时祭祀,立庙焉。

录曰:夫心迹所至,无幽不彻,理著于微,冥昧自显。玄曦回鲁阳之戈,严霜感匹夫之叹,在于凡伦,尚昭神迹。况求之精爽,以会蒸蒸之心,木石为之玄感,鸟兽为之驯集。伟元哀号,春花以之改叶;叔通晨兴,朝流欻生横石;辛缋表迹于栖鸾,卫农示德于梦虎。郅氏之行,类斯道焉。按汉昭帝时,有黄鹄下太液池;今云淋池,盖一水二名也。宣帝之世,有嘉谷玄稷之祥,亦不说今之所生,岂由神农、后稷播厥之功,抑亦王子所称,非近俗所食。诠其名,华而不实。及乎飞走之类,神木怪草,见奇而说,万世之瑰伟也。

汉成帝好微行,于太液池旁起宵游宫,以漆为柱,铺黑绨之幕,器服乘舆,皆尚黑色。既悦于暗行,憎灯烛之照。宫中美御,皆服皂衣,自班婕妤以下,咸带玄绶,簪珮虽如锦绣,更以木兰纱绡罩之。至宵游宫,乃秉烛。宴幸既罢,静鼓自舞,而步不扬尘。好夕出游。造飞行殿,方一丈,如今之辇,选羽林之士,负之以趋。帝于辇上,觉其行快疾,闻其中若风雷之声,言其行疾也,名曰“云雷宫”。所幸之宫,咸以毡绨藉地,恶车辙马迹之喧。虽惑于微行昵宴,在民无劳无怨。每乘舆返驾,以爱幸之姬宝衣珍食,舍于道傍,国人之穷老者皆歌“万岁”。是以鸿嘉、永始之间,国富家丰,兵戈长戢。故刘向、谷永指言切谏,于是焚宵游宫及飞行殿,罢宴逸之乐。所谓从绳则正,如转圜焉。

帝常以三秋闲日,与飞燕戏于太液池,以沙棠木为舟,贵其不沉没也。以云母饰于鹢首,一名“云舟”。又刻大桐木为虬龙,雕饰如真,以夹云舟而行。以紫桂为柂枻。及观云棹水,玩撷菱藕,帝每忧轻荡,以惊飞燕,令佽飞之士,以金锁缆云舟于波上。每轻风时至,飞燕殆欲随风入水。帝以翠缨结飞燕之裙,游倦乃返。飞燕后渐见疏,常怨曰:“妾微贱,何复得预缨裙之游?”今太液池尚有避风台,即飞燕结裙之处。

　　录曰:夫言端扆拱默者,人君之尊也。是故兴居有节,进止有度,出则太师奏登车之礼,入则少师荐升堂之仪,列旌门以周卫,修清宫以宴息。成帝轻南面之位,微游昵幸,好惑神仙之事,谷永因而抗谏。《书》不云乎:“弗矜细行,终累大德。”斯之谓矣。

哀帝尚淫奢,多进谄佞。幸爱之臣,竞以妆饰妖丽,巧言取容。董贤以雾绡单衣,飘若蝉翼。帝入宴息之房,命筵卿易轻衣小袖,不用奢带修裙,故使婉转便易也。宫人皆效其断袖。又曰,割袖恐惊其眠。

后　汉

明帝阴贵人梦食瓜甚美。帝使求诸方国。时燉煌献异瓜种,恒山献巨桃核。瓜名"穹隆",长三尺,而形屈曲,味美如饴。父老云:"昔道士从蓬莱山得此瓜,云是崆峒灵瓜,四劫一实,西王母遗于此地,世代遐绝,其实颇在。"又说:"巨桃霜下结花,隆暑方熟,亦云仙人所食。"帝使植于霜林园。园皆植寒果,积冰之节,百果方盛,俗谓之"相陵",与霜林之声讹也。后曰:"王母之桃,王公之瓜,可得而食,吾万岁矣,安可植乎?"后崩,内侍者见镜奁中有瓜、桃之核,视之涕零,疑非其类耳。

章帝永宁元年,条支国来贡异瑞。有鸟名鸦鹊,形高七尺,解人语。其国太平,则鸦鹊群翔。昔汉武帝时,四夷宾服,有献驯鹊,若有喜乐事,则鼓翼翔鸣。按庄周云"雕陵之鹊",盖其类也。《淮南子》云:"鹊知人喜。"今之所记,大小虽殊,远近为异,故略举焉。

安帝好微行,于郊坰或露宿,起帷宫,皆用锦罽文绣。至永初三年,国用不足,令吏民入钱者得为官。有琅琊王溥,即王吉之后。吉先为昌邑中尉。溥奕世衰凌,及安帝时,家贫不得仕,乃挟竹简插笔,于洛阳市佣书。美于形貌,又多文辞。来儎其书者,丈夫赠其衣冠,妇人遗其珠玉,一日之中,衣宝盈车而归。积粟于廪,九族宗亲,莫不仰其衣食,洛阳称为善笔而得富。溥先时家贫,穿井得铁印,铭曰:"佣力得富,钱至亿庾。一土三田,军门主簿。"后以一亿钱输官,得中垒校尉。三田一土,"垒"字也;中垒校尉掌北军垒门,故曰军门主簿。积善降福,神明报焉。

灵帝初平三年,游于西园。起裸游馆千间,采绿苔而被阶,引渠水以绕砌,周流澄澈。乘船以游漾,使宫人乘之,选玉色轻体者,以执篙楫,摇漾于渠中。其水清澄,以盛暑之时,使舟覆没,视宫人玉色。又奏《招商》之歌,以来凉气也。歌曰:"凉风起兮日照渠,青荷昼偃叶夜舒,惟日不足乐有余。清丝流管歌玉凫,千年万岁喜难逾。"渠中植莲,大如盖,长一丈,南国所献。其叶夜舒昼卷,一茎有四莲丛生,名曰"夜舒荷"。亦云月出则舒也,故曰"望舒荷"。帝盛夏避暑于裸游馆,长夜饮宴。帝嗟曰:"使万岁如此,则上仙也。"宫人年二七已上,三六以下,皆靓妆,解其上衣,惟著内服,或共裸浴。西域所献茵墀香,煮以为汤,宫人以之浴浣毕,使以余汁入渠,名曰"流香渠"。又使内竖为驴鸣。于馆北又作鸡鸣堂,多畜鸡,每醉迷于天晓,内侍竞作鸡鸣,以乱真声也。乃以炬烛投于殿前,帝乃惊悟。及董卓破京师,散其美人,焚其宫馆。至魏咸熙中,先所投烛处,夕夕有光如星。后人以为神光,于此地立小屋,名曰"余光祠",以祈福。至魏明末,稍扫除矣。

录曰:明、章两主,丕承前业,风被四海,威行八区,殊边异服,祥瑞辐凑。安、灵二帝,同为败德。夫悦目快心,罕不沦乎情欲,自非远鉴兴亡,孰能移隔下俗。佣才缘心,缅乎嗜欲,塞谏任邪,没情于淫靡。至如列代亡主,莫不凭威猛以丧家国,肆奢丽以覆宗祀。询考先坟,往往而载,佥求历古,所记非一。贩爵鬻官,乖分职之本;露宿郊居,违省方之义。成、安二帝,载世虽远,而乱政攸同。验之史牒,讯诸前记,迷情狗马,爱好龙鹤,非明王之所闻示于后也。内穷淫酷,外尽禽荒,取悦耳目,流贬万世。是以牝妖告祸,汉灵以巷伯倾宗。酒池裸逐之丑,鸣鸡长夜之惑,事由商乙,远仿燕丹,异代一时,可为悲矣。

献帝伏皇后,聪惠仁明,有闻于内则。及乘舆为李傕所败,昼夜逃走,宫人奔窜,万无一生。至河,无舟楫,后乃负帝以济河,河流迅急,惟觉脚下如有乘践,则神物之助焉。兵戈逼岸,后乃以身拥遏于帝。帝伤趾,后以绣拭血,刮玉钗以覆于疮,应手则愈。以泪漰帝衣及面,洁静如浣。军人叹伏:虽乱犹有明智妇人。精诚之至,幽祇之所感矣。

录曰:夫丹石可磨,而不可夺其坚色;兰桂可折,而不可掩其贞芳。伏后履纯明之姿,怀忠亮之质,临危授命,壮夫未能加焉,知死不吝,冯媛之俦也。求之千古,亦所罕闻。汉兴,至于哀、平、元、成,尚以宫室,崇苑囿,而西京始有弘侈,东都继其繁奢,既违采椽不斫之制,尤异灵沼遵俭之风。考之皇图,求之志录,千家万户之书,台卫城隍之广,自重门构宇以来,未有若斯之费溢也。孝哀广四时之房,灵帝修裸游之馆,妖惑为之则神怨,工巧为之则人虐,夷国沦家,可为恸矣!及夫灵瑞、嘉禽、艳卉、殊木,生非其壤,诡色讹音,不裹正朔之地,无涉图书所记,或缘德业以来仪，由时俗以具质，咸得而备详矣。历览群经，披求方册，未若斯之宏丽矣。

郭况，光武皇后之弟也。累金数亿，家僮四百余人，以黄金为器，工冶之声，震于都鄙。时人谓："郭氏之室，不雨而雷。"言其铸锻之声盛也。庭中起高阁长庑，置衡石于其上，以称量珠玉也。阁下有藏金窟，列武士以卫之。错杂宝以饰台榭，悬明珠于四垂，昼视之如星，夜望之如月。里语曰："洛阳多钱郭氏室，夜日昼星富无匹。"其宠者皆以玉器盛食，故东京谓郭家为"琼厨金穴"。况小心畏慎，虽居富势，闭门优游，未曾干世事，为一时之智也。

录曰：夫后族之盛，专挟内主之威，皆以党孽强盛，肆嚣于天下，妖幸侵政，擅椒房之亲。在昔魏冉，富倾嬴国；汉世王凤，同拜五侯。馆第僭于京都，嫔姬丽于宫掖。瑰赂南金，弥玩于王府；缇绣雕文，被饰于土木。高廊洞门，极夏屋之盛；文马朱轩，穷车服之靡。自古擅骄，未有如斯之例。虽三归移于管室，八佾陈于季庭，方之为劣矣。郭况内凭姻宠，外专声厉，远采山丹之穴，积陶朱、程郑之产，未足称其盛欤！曾不恃其戚里，矜其财势，秉温恭之正，守道持盈，而自竞慎，是可谓知幾其神乎！

刘向于成帝之末，校书天禄阁，专精覃思。夜有老人，着黄衣，植青藜杖，登阁而进，见向暗中独坐诵书。老父乃吹杖端，烟燃，因以见向，说开辟已前。向因受《洪范五行》之文，恐辞说繁广忘之，乃裂裳及绅，以记其言。至曙而去，向请问姓名。云："我是太一之精，天帝闻金卯之子有博学者，下而观焉。"乃出怀中竹牒，有天文地图之书，"余略授子焉"。至向子歆，从向受其术，向亦不悟此人焉。

贾逵年五岁，明惠过人。其姊韩瑶之妇，嫁瑶无嗣而归居焉，亦以贞明见称。闻邻中读书，旦夕抱逵隔篱而听之。逵静听不言，姊以为喜。至年十岁，乃暗诵六经。姊谓逵曰："吾家贫困，未尝有教者入门，汝安知天下有《三坟》、《五典》而诵无遗句耶？"逵曰："忆昔姊抱逵于篱间听邻家读书，今万不遗一。"乃剥庭中桑皮以为牒，或题于扉屏，且诵且记。期年，经文通遍。于闾里每有观者，称云振古无伦。门徒来学，不远万里，或襁负子孙，舍于门侧，皆口授经文，赠献者积粟盈仓。或云:"贾逵非力耕所得,诵经口倦,世所谓舌耕也。"

何休木讷多智,《三坟》、《五典》,阴阳算术,河洛谶纬,及远年古谚,历代图籍,莫不咸诵也。门徒有问者,则为注记,而口不能说。作《左氏膏肓》、《公羊废疾》、《谷梁墨守》,谓之"三阙"。言理幽微,非知机藏往,不可通焉。及郑康成锋起而攻之,求学者不远千里,赢粮而至,如细流之赴巨海。京师谓康成为"经神",何休为"学海"。

任末年十四时,学无常师,负笈不远险阻。每言:"人而不学,则何以成?"或依林木之下,编茅为庵,削荆为笔,克树汁为墨。夜则映星望月,暗则缕麻蒿以自照。观书有合意者,题其衣裳,以记其事。门徒悦其勤学,更以静衣易之。非圣人之言不视。临终诫曰:"夫人好学,虽死若存;不学者虽存,谓之行尸走肉耳!"河洛秘奥,非正典籍所载,皆注记于柱壁及园林树木,慕好学者,来辄写之。时人谓任氏为"经苑"。

曹曾,鲁人也。本名平,慕曾参之行,改名为曾。家财巨亿,事亲尽礼,日用三牲之养,一味不亏于是。不先亲而不食新味也。为客于人家,得新味则含怀而归。不畜鸡犬,言喧嚣惊动于亲老。时亢旱,井池皆竭。母思甘清之水,曾跪而操瓶,则甘泉自涌,清美于常。学徒有贫者,皆给食。天下名书,上古以来,文篆讹落者,曾皆刊正,垂万余卷。及国难既夷,收天下遗书于曾家,连车继轨,输于王府。诸弟子于门外立祠,谓曰"曹师祠"。及世乱,家家焚庐,曾虑先文湮没,乃积石为仓以藏书,故谓曹氏为"书仓"。

　　录曰:观乎刘向显学于汉成时,才包三古,艺该九圣,悬日月以来,其类少矣。逮乎后汉,贾、何、任、曹之学,并为圣神,通生民到今,盖斯而已。若颜渊之殆庶几;关美、张霸,何足显大儒哉!至如五君之徒,孔门之外未有也,方之入室,彼有惭焉。贾氏之姊,所谓知识妇人鉴乎圣也。

卷七

魏

文帝所爱美人,姓薛名灵芸,常山人也。父名邺,为酂乡亭长,母陈氏,随邺舍于亭傍。居生穷贱,至夜,每聚邻妇夜绩,以麻蒿自照。灵芸年至十五,容貌绝世,邻中少年夜来窃窥,终不得见。咸熙元年,谷习出守常山郡,闻亭长有美女而家甚贫。时文帝选良家子女,以入六宫。习以千金宝赂聘之,既得,乃以献文帝。灵芸闻别父母,歔欷累日,泪下沾衣。至升车就路之时,以玉唾壶承泪,壶则红色。既发常山,及至京师,壶中泪凝如血。帝以文车十乘迎之,车皆镂金为轮辋,丹画其毂,轭前有杂宝为龙凤,衔百子铃,锵锵和鸣,响于林野。驾青色之牛,日行三百里。此牛尸屠国所献,足如马蹄也。道侧烧石叶之香,此石重叠,状如云母,其光气辟恶厉之疾。此香腹题国所进也。灵芸未至京师数十里,膏烛之光,相续不灭,车徒咽路,尘起蔽于星月,时人谓为"尘宵"。又筑土为台,基高三十丈,列烛于台下,名曰"烛台",远望如列星之坠地。又于大道之傍,一里一铜表,高五尺,以志里数。故行者歌曰:"青槐夹道多尘埃,龙楼凤阙望崔嵬。清风细雨杂香来,土上出金火照台。"此七字是妖辞也。为铜表志里数于道侧,是土上出金之义。以烛置台下,则火在土下之义。汉火德王,魏土德王,火伏而土兴,土上出金,是魏灭而晋兴也。灵芸未至京师十里,帝乘雕玉之辇,以望车徒之盛,嗟曰:"昔者言'朝为行云,暮为行雨',今非云非雨,非朝非暮。"改灵芸之名曰"夜来",入宫后居宠爱。外国献火珠龙鸾之钗。帝曰:"明珠翡翠尚不能胜,况乎龙鸾之重!"乃止不进。夜来妙于针工,虽处于深帷之内,不用灯烛之光,裁制立成。非夜来缝制,帝则不服。宫中号为"针神"也。

　　录曰:五帝之运,迭相生死,起伏因循,显于言端。童谣信于春秋，谶辞烦于汉末，或著明先典，或托见图记。佥详《河》、《洛》，应运不同。唐尧以炎正禅虞，大汉以火德受魏，世历沿袭，得其宜矣。夫升名藉璧，因事而来。既而柔曼之质见进，亦以裁缝之妙要宠，媚斯婉约，荣非世载，取或一朝，去彼疑贱，延此华轩。

魏明帝起凌云台，躬自掘土，群臣皆负畚锸，天阴冻寒，死者相枕。洛、邺诸鼎，皆夜震自移。又闻宫中地下，有怨叹之声。高堂隆等上表谏曰："王者宜静以养民，今嗟叹之声，形于人鬼，愿省薄奢费，以敦俭朴。"帝犹不止，广求瑰异，珍赂是聚，饬台榭累年而毕。谏者尤多，帝乃去烦归俭，死者收而葬之。人神致感，众祥皆应。太山下有连理文石，高十二丈，状如柏树，其文彪发，似人雕镂，自下及上皆合，而中开广六尺，望若真树也。父老云："当秦末，二石相去百余步，芜没无有蹊径。及魏帝之始，稍觉相近，如双阙。"土石阴类，魏为土德，斯为灵征。苑囿及民家草树，皆生连理。有合欢草，状如蓍，一株百茎，昼则众条扶疏，夜则合为一茎，万不遗一，谓之"神草"。沛国有黄麟见于戊己之地，皆土德之嘉瑞。乃修戊己之坛，黄星炳夜。又起昴毕之台，祭祀此星，魏之分野，岁时修祀焉。

任城王彰，武帝之子也。少而刚毅，学阴阳纬候之术，诵《六经》、《洪范》之书数千言。武帝谋伐吴、蜀，问彰取便利行师之决。王善左右射，学击剑，百步中髭发。时乐浪献虎，文如锦斑，以铁为槛，枭殷之徒，莫敢轻视。彰曳虎尾以绕臂，虎弭耳无声。莫不服其神勇。时南越献白象子在帝前，彰手顿其鼻，象伏不动。文帝铸万斤钟，置崇华殿，欲徙之，力士百人不能动，彰乃负之而趋。四方闻其神勇，皆寝兵自固。帝曰："以王之雄武，吞并巴蜀，如鸥衔腐鼠耳！"彰薨，如汉东平王葬礼。及丧出，空中闻数百人泣声。送者皆言，昔乱军相伤杀者，皆无棺椁，王之仁惠，收其朽骨，死者欢于地下，精灵知感，故人美王之德。国史撰《任城王旧事》三卷，晋初藏于秘阁。

建安三年，胥徒国献沉明石鸡，色如丹，大如燕，常在地中，应时而鸣，声能远彻。其国闻鸣，乃杀牲以祀之，当鸣处掘地，则得此鸡。若天下太平，翔飞颉颃，以为嘉瑞，亦为"宝鸡"。其国无鸡，听地中候暑刻。道家云："昔仙人桐君采石,入穴数里,得丹石鸡,舂碎为药,服之者令人有声气,后天而死。"昔汉武帝宝鼎元年,西方贡珍怪,有虎魄燕,置之静室,自于室中鸣翔,盖此类也。《洛书》云："皇图之宝,土德之征,大魏之嘉瑞。"

明帝即位二年,起灵禽之园,远方国所献异鸟殊兽,皆畜此园也。昆明国贡嗽金鸟。国人云："其地去燃洲九千里,出此鸟,形如雀而色黄,羽毛柔密,常翱翔海上,罗者得之,以为至祥。闻大魏之德,被于荒远,故越山航海,来献大国。"帝得此鸟,畜于灵禽之园,饴以真珠,饮以龟脑。鸟常吐金屑如粟,铸之可以为器。昔汉武帝时,有人献神雀,盖此类也。此鸟畏霜雪,乃起小屋处之,名曰"辟寒台",皆用水精为户牖,使内外通光。宫人争以鸟吐之金用饰钗珮,谓之"辟寒金"。故宫人相嘲曰:"不服辟寒金,那得帝王心?"于是媚惑者,乱争此宝金为身饰,及行卧皆怀挟以要宠幸也。魏氏丧灭,池台鞠为煨烬,嗽金之鸟,亦自翱翔矣。

咸熙二年,宫中夜有异兽,白色光洁,绕宫而行。阍宦见之,以闻于帝。帝曰:"宫闱幽密,若有异兽,皆非祥也。"使宦者伺之。果见一白虎子,遍房而走。候者以戈投之,即中左目。比往取视,惟见血在地,不复见虎。搜检宫内及诸池井,不见有物。次检宝库中,得一玉虎头枕,眼有伤,血痕尚湿。帝该古博闻,云:"汉诛梁冀,得一玉虎头枕,云单池国所献,检其颔下,有篆书字。云是帝辛之枕,尝与妲己同枕之。是殷时遗宝也。"又按《五帝本纪》云,帝辛殷代之末。至咸熙多历年所,代代相传。凡珍宝久则生精灵,必神物凭之也。

魏禅晋之岁,北阙下有白光如鸟雀之状,时飞翔来去。有司闻奏帝所。罗之,得一白燕,以为神物,于是以金为樊,置于宫中。旬日不知所在。论者云:"金德之瑞。昔师旷时,有白燕来巢。"检《瑞应图》,果如所论。白色叶于金德,师旷晋时人也,古今之义相符焉。

薛夏,天水人也,博学绝伦。母孕夏时,梦人遗之一箧衣云:"夫人必产贤明之子也,为帝王之所崇。"母记所梦之日。及生夏,年及弱冠,才辩过人。魏文帝与之讲论,终日不息,应对如流,无有疑滞。帝曰:"昔公孙龙称为辩捷,而迂诞诬妄;今子所说,非圣人之言不谈,子游、子夏之俦，不能过也。若仲尼在魏，复为入室焉。"帝手制书与夏，题云"入室生"。位至秘书丞。居生甚贫，帝解御衣以赐之，果符元所梦。名冠当时，为一代高士。

田畴，北平人也。刘虞为公孙瓒所害，畴追慕无已，往虞墓设鸡酒之礼，恸哭之音，动于林野，翔鸟为之凄鸣，走兽为之吟伏。畴卧于草间，忽有人通云："刘幽州来，欲与田子泰言平生之事。"畴神悟远识，知是刘虞之魂。既近而拜，畴泣不自支，因相与进鸡酒。畴醉，虞曰："公孙瓒求子甚急，宜窜伏以避害！"畴拜曰："闻君臣之义，生则尽礼，今见君之灵，愿得同归九地，死且不朽，安可逃乎！"虞曰："子万古之贞士也，深慎尔仪！"奄然不见，畴亦醉醒。

曹洪，武帝从弟，家盈产业，骏马成群。武帝讨董卓，夜行失马，洪以其所乘马上帝。其马号曰"白鹄"。此马走时，惟觉耳中风声，足似不践地。至汴水，洪不能渡，帝引洪上马共济，行数百里，瞬息而至。马足毛不湿。时人谓为乘风而行，亦一代神骏也。谚曰："凭空虚跃，曹家白鹄。"

录曰：王者廊万宇以为邦家，因海岳以为城池，固是安民养德，垂拱而治焉。去乎游历之费，导于敦教之道，无崇宫室，有薄林园。采椽不斲，大唐如斯昭俭；卑宫菲食，伯禹以之戒奢。迄乎三代之王，失斯道矣。伤财弊力，以骄丽相夸，琼室之侈，璧台之富，穷神工之奇妙，人力勤苦。至于春秋，王室凌废，城者作讴，疲于勤劳。晋筑祈褫之宫，为功动于民怨；宋兴泽门之役，劳者以为深嗟。姑苏积费于前，阿房奋竭于后。自以业固河山，名超万世，覆灭宗祀，由斯哀哀。窃观明帝，践中区之沃盛，威灵所慑，比强列代，祯祥神宝，史不绝书，殊方珍贡，府无虚月，鼎据三方，称雄四海。而圣教微于尧、禹，历代劣于姬、汉，东鲠闽、吴，西病邛蜀，师旅岁兴，财力日费，不能遵养黎元，远瞻前朴，宫室穷丽，池榭肆其宏广，终取夷灭，数其然哉！任城渊谋神勇，智周祥艺，虽来舟、蓬蒙剑射之好，不能加也。田畴事死如生，守以直节，精诚之至，通于神明。曹洪忠烈为心，爱亲忧国。此穆满之骏，方之"白鹄"，可谓齐足者也。

卷八

吴

孙坚母妊坚之时，梦肠出绕腰，有一童女负之，绕吴阊门外，又授以芳茅一茎。童女语曰："此善祥也，必生才雄之子。今赐母以土，王于翼、轸之地，鼎足于天下。百年中应于异宝授于人也。"语毕而觉，日起筮之。筮者曰："所梦童女负母绕阊门，是太白之精，感化来梦。"夫帝王之兴，必有神迹自表，白气者，金色。及吴灭而践晋祚，梦之征焉。

录曰：按《吴书》云："孙坚母怀坚之时，梦肠出绕阊门。"与王之说为异。夫西方金位，以叶晋德，兴亡之兆，后而效焉。盖表吴亡而授晋也。夫六梦八征，著明《周易》，授兰怀日，事类而非。及吴氏之兴年，嘉禾之号，芳茅之征信矣。至晋太康元年，孙皓送六金玺云："时无玉工，故以金为印玺。"夫孙氏擅割江东，包卷百越，吞席汉阳，威慑中夏，富强之业，三雄比盛。时有未宾而兵戈岁起，每梗心于邛蜀，愤慨于燕魏，四方未夷，有事征伐，因之以师旅，遵之以俭素，去其游侈之费，塞兹雕靡之涂，不欲使四方民劳，非无玉工也。固能轻彼池山，贱斯棘实，汉鄙盈车之屑，燕弃璞于衡虎，沉河底谷，义昭攸古，务崇俭约，岂非高欤！及乎吴亡时，以六代金玺归晋，坚母之梦验矣。

吴主赵夫人，丞相达之妹。善画，巧妙无双，能于指间以彩丝织云霞龙蛇之锦，大则盈尺，小则方寸，宫中谓之"机绝"。孙权常叹魏、蜀未夷，军旅之隙，思得善画者使图山川地势军阵之像。达乃进其妹。权使写九州方岳之势。夫人曰："丹青之色，甚易歇灭，不可久宝；妾能刺绣，作列国方帛之上，写以五岳河海城邑行阵之形。"既成，乃进于吴主，时人谓之"针绝"。虽棘刺木猴，云梯飞鸢，无过此丽也。

权居昭阳宫，倦暑，乃褰紫绡之帷，夫人曰："此不足贵也。"权使夫人指其意思焉。答曰："妾欲穷虑尽思，能使下绡帷而清风自入，视外无有蔽碍，列侍者飘然自凉，若驭风而行也。"权称善。夫人乃拆发，以神胶续之。神胶出郁夷国，接弓弩之断弦，百断百续也。乃织为罗縠，累月而成，裁为幔，内外视之，飘飘如烟气轻动，而房内自凉。时权常在军旅，每以此幔自随，以为征幕。舒之则广纵一丈，卷之则可纳于枕中，时人谓之"丝绝"。故吴有"三绝"，四海无俦其妙。后有贪宠求媚者，言夫人幻耀于人主，因而致退黜。虽见疑坠，犹存录其巧工。吴亡，不知所在。

　　吴主潘夫人，父坐法，夫人输入织室，容态少俦，为江东绝色。同幽者百余人，谓夫人为神女，敬而远之。有司闻于吴主，使图其容貌。夫人忧戚不食，减瘦改形。工人写其真状以进，吴主见而喜悦，以虎魄如意抚按即折。嗟曰："此神女也，愁貌尚能惑人，况在欢乐！"乃命雕轮就织室，纳于后宫，果以姿色见宠。每以夫人游昭宣之台，志意幸惬，既尽酣醉，唾于玉壶中，使侍婢泻于台下，得火齐指环，即挂石榴枝上，因其处起台，名曰环榴台。时有谏者云："今吴、蜀争雄，'还刘'之名，将为妖矣！"权乃翻其名曰榴环台。又与夫人游钓台，得大鱼。王大喜，夫人曰："昔闻泣鱼，今乃为喜，有喜必忧，以为深戒！"至于末年，渐相谮毁，稍见离退。时人谓"夫人知几其神"。吴主于是罢宴，夫人果见弃逐。钓台基今尚存焉。

　　　录曰：赵、潘二夫人，妍明伎艺，婉变通神，抑亦汉游洛妃之俦，荆巫云雨之类；而能避妖幸之孽，睹进退之机。夫盈则有亏，道有崇替，居盛必衰，理固明矣。语乎荣悴，譬诸草木，华落张弛，势之必然。巧言萋斐，前王之所信惑。是以申、褒见列于前周，班、赵载详于往汉。异代同闻，可为叹也！

　　黄龙元年，始都武昌。时越巂之南，献背明鸟，形如鹤，止不向明，巢常对北，多肉少毛，声音百变，闻钟磬笙竽之声，则奋翅摇头。时人以为吉祥。是岁迁都建业，殊方多贡珍奇。吴人语讹，呼背明为背亡鸟。国中以为大妖，不及百年，当有丧乱背叛灭亡之事，散逸奔逃，墟无烟火。果如斯言。后此鸟不知所在。

张承之母孙氏,怀承之时,乘轻舟游于江浦之际,忽有白蛇长三尺,腾入舟中。母祝曰:"若为吉祥,勿毒噬我!"萦而将还,置诸房内,一宿视之,不复见蛇,嗟而惜之。邻中相谓曰:"昨见张家有一白鹤耸翮入云。"以告承母,母使筮之。筮者曰:"此吉祥也。蛇、鹤延年之物;从室入云,自下升高之象也。昔吴王阖闾葬其妹,殉以美女、珍宝、异剑,穷江南之富。未及十年,雕云覆于溪谷,美女游于冢上,白鹄翔于林中,白虎啸于山侧,皆昔时之精灵,今出于世,当使子孙位超臣极,擅名江表。若生子,可以名曰白鹄。"及承生,位至丞相、辅吴将军,年逾九十,蛇、鹄之祥也。

录曰:国之将亡,其兆先见。《传》曰:"明神见之,观其德也。"及归命面缚来降,斯为效矣。蛇、鹄者,虫禽之最灵,张氏以为嘉瑞。《吴越春秋》、百家杂说云,吴王阖闾,崇饰厚葬,生埋美人,多藏宝物。数百年后,灵鹄翔于林壑,神虎啸于山丘,湛卢之剑,飞入于楚。收魂聚怪,富丽以极,而诡异失中,不如速朽。昔宋桓、盛姬,前史讥其骄惑,嬴博杨孙,君子贵其合礼。观夫远古,指详中代,求诸事迹,俭泰相悬。至如末世,渐相夸矫,生滋淫湎,死则同殉,委积珍宝,埃尘灭身,乖于同穴,可谓叹欤!

吕蒙入吴,吴主劝其学业,蒙乃博览群籍,以《易》为宗。常在孙策座上酣醉,忽卧,于梦中诵《周易》一部,俄而惊起。众人皆问之。蒙曰:"向梦见伏牺、周公、文王,与我论世祚兴亡之事,日月贞明之道,莫不穷精极妙。未该玄旨,故空诵其文耳。"众座皆云:"吕蒙呓语通《周易》。"

录曰:夫精诚之至,叶于幽冥,与日月均其明,与四时齐其契,故能德会三古,道合神微。若郑君之感先圣,周盘之梦东里,迹同事异,光被遐策,索隐钩深,妙于玄旨。孔门群说,未若吕生之学焉。

孙和悦邓夫人,常置膝上。和于月下舞水精如意,误伤夫人颊,血流污裤,娇姹弥苦。自舐其疮,命太医合药。医曰:"得白獭髓,杂玉与琥珀屑,当灭此痕。"即购致百金,能得白獭髓者,厚赏之。有富春渔人云:"此物知人欲取,则逃入石穴。伺其祭鱼之时,獭有斗死者,穴中应有枯骨,虽无髓,其骨可合玉春为粉,喷于疮上,其痕则灭。"和乃命合此膏,琥珀太多,及差而有赤点如朱,逼而视之,更益其妍。诸嬖人欲要宠,皆以丹脂点颊而后进幸。妖惑相动,遂成淫俗。

孙亮作琉璃屏风,甚薄而莹澈,每于月下清夜舒之。常与爱姬四人,皆振古绝色:一名朝姝,二名丽居,三名洛珍,四名洁华。使四人坐屏风内,而外望之,如无隔,惟香气不通于外。为四人合四气香,殊方异国所出,凡经践蹑宴息之处,香气沾衣,历年弥盛,百浣不歇,因名曰"百濯香"。或以人名香,故有朝姝香,丽居香,洛珍香,洁华香。亮每游,此四人皆同舆席,来侍皆以香名前后为次,不得乱之。所居室名为"思香媚寝"。

蜀

先主甘后,沛人也,生于微贱。里中相者云:"此女后贵,位极宫掖。"及后长,而体貌特异,至十八,玉质柔肌,态媚容冶。先主召入绡帐中,于户外望者,如月下聚雪。河南献玉人,高三尺,乃取玉人置后侧,昼则讲说军谋,夕则拥后而玩玉人。常称玉之所贵,德比君子,况为人形,而不可玩乎?后与玉人洁白齐润,观者殆相乱惑。嬖宠者非惟嫉于甘后,亦妒于玉人也。后常欲琢毁坏之,乃诫先主曰:"昔子罕不以玉为宝,《春秋》美之;今吴、魏未灭,安以妖玩经怀。凡淫惑生疑,勿复进焉!"先主乃撤玉人,嬖者皆退。当斯之时,君子议以甘后为神智妇人焉。

糜竺用陶朱计术,日益亿万之利,货拟王家,有宝库千间。竺性能赈生恤死,家内马厩屋仄有古冢,中有伏尸,夜闻涕泣声。竺乃寻其泣声之处,忽见一妇人袒背而来,诉云:"昔汉末妾为赤眉所害,叩棺见剥,今袒在地,羞昼见人,垂二百年。今就将军乞深埋,并弊衣以掩形体。"竺许之,即命之为棺椁,以青布为衣衫,置于冢中,设祭既毕。历一年,行于路曲,忽见前妇人,所着衣皆是青布,语竺曰:"君财宝可支一世,合遭火厄,今以青芦杖一枚长九尺,报君棺椁衣服之惠。"竺挟杖而归。所住邻中常见竺家有青气如龙蛇之形。或有人谓竺曰："将非怪也？"竺乃疑此异，问其家僮。云："时见青芦杖自出门间，疑其神，不敢言也。"竺为性多忌，信厌术之事，有言中忤，即加刑戮，故家僮不敢言。竺货财如山，不可算计，内以方诸盆瓶，设大珠如卵，散满于庭，谓之"宝庭"，而外人不得窥。数日，忽青衣童子数十人来云："糜竺家当有火厄，万不遗一，赖君能恤敛枯骨，天道不辜君德，故来禳却此火，当使财物不尽。自今以后，亦宜防卫！"竺乃掘沟渠周绕其库。旬日，火从库内起，烧其珠玉十分之一，皆是阳燧旱燥自能烧物。火盛之时，见数十青衣童子来扑火，有青气如云，覆于火上，即灭。童子又云："多聚鹢鸟之类，以禳火灾；鹢能聚水于巢上也。"家人乃收鸩鹢数千头养于池渠中，以厌火。竺叹曰："人生财运有限，不得盈溢，惧为身之患害。"时三国交锋，军用万倍，乃输其宝物车服，以助先主：黄金一亿斤，锦绣毡罽积如丘垅，骏马万匹。及蜀破后，无复所有，饮恨而终。

周群妙闲算术谶说。游岷山采药，见一白猿，从绝峰而下，对群而立。群抽所佩书刀投猿，猿化为一老翁，握中有玉版长八寸，以授群。群问曰："公是何年生？"答曰："已衰迈也，忘其年月，犹忆轩辕之时，始学历数，风后、容成，皆黄帝之史，就余授历数。至颛顼时，考定日月星辰之运，尤多差异。及春秋时，有子韦、子野、裨灶之徒，权略虽验，未得其门。迩来世代兴亡，不复可记，因以相袭。至大汉时，有洛下闳，颇得其旨。"群服其言，更精勤算术。乃考校年历之运，验于图纬，知蜀应灭。及明年，归命奔吴。皆云："周群详阴阳之精妙也。"蜀人谓之"后圣"。白猿之异，有似越人所记，而事皆迂诞，似是而非。

录曰：孙和、孙亮、刘备，并惑于淫宠之玩，忘于军旅之略，犹比强大魏，克伐无功，可为嗟矣！周群之学，通于神明，白猿之祥，有类越人问剑之言，其事迂诞，若是而非也。夫阴阳递生，五行迭用，由水火相生，亦以相灭。《淮南子》云"方诸向月津为水"，以厌火灾乎。糜氏富于珍奇，削方诸为鸟兽之状，犹土龙以祈雨也。鸩鹢之音，与方诸相乱，盖声之讹矣。羽毛之类，非可御烈火，于义则为乖，于事则违类，先《坟》旧《典》，说以其详焉。

卷九

晋　时　事

武帝为抚军时，府内后堂砌下忽生草三株，茎黄叶绿，若总金抽翠，花条苒弱，状似金蓂。时人未知是何祥草，故隐蔽不听外人窥视。有一羌人，姓姚名馥，字世芬，充厩养马，妙解阴阳之术，云："此草以应金德之瑞。"馥年九十八，姚襄则其祖也。馥好读书，嗜酒，每醉时好言帝王兴亡之事。善戏笑，滑稽无穷，常叹云："九河之水不足以渍麴蘖，八薮之木不足以作薪蒸，七泽之麋不足以充庖俎。凡人禀天地之精灵，不知饮酒者，动肉含气耳，何必木偶于心识乎？"好啜浊糟，常言渴于醇酒。群辈常弄狎之，呼为"渴羌"。及晋武践位，忽思见馥立于阶下，帝奇其偃蹇，擢为朝歌邑宰。馥辞曰："老羌异域之人，远隔山川，得游中华，已为殊幸，请辞朝歌之县，长充养马之役，时赐美酒，以乐余年。"帝曰："朝歌纣之故都，地有美酒，故使老羌不复呼渴。"馥于阶下高声而对曰："马圉老羌，渐染皇化，溥天夷貊，皆为王臣，今若欢酒池之乐，更为殷纣之民乎？"帝抚玉几大悦，即迁酒泉太守。地有清泉，其味若酒。馥乘醉而拜受之，遂为善政，民为立生祠。后以府地赐张华，犹有草在，故茂先《金蓂赋》云："擢九茎于汉庭，美三株于兹馆。贵表祥乎金德，比名类乎相乱。"至惠帝元熙元年，三株草化为三树，枝叶似杨树，高五尺，以应"三杨"擅权之事。时有杨骏、杨瑶、杨济三弟兄，号曰"三杨"。马圉醉羌所说之验。

录曰：不得中行，狂狷可也。淳于、优孟之俦，因俳说以进谏。至如姚馥，才性容貌，不与华同，片言窃讽，媚足规范。及其俳谐诡谲，推辞指诚，因物而刺，言之者无罪，抑亦东方曼倩之俦欤！夫心胃之逸朽，故有腐肠烂肠之嗜，是以"五味令人口爽"，老氏以为深诫。未若甘并桂石，美斯松草，含吐烟霞，咀食沆瀣，迅千灵于一朝,方尘劫于俄顷,乎可淫此酣乐,忘彼久视者乎?夫物有事异而名同者,自非穷神达理,莫能遥照。岂可假于诐辞,专求于邪说。天命有兆,历运攸归,何可妄信于谣讹,指怪于纤草?将溺所闻,信诸厥术,可为嗟乎!

咸宁四年,立芳蔬园于金墉城东,多种异菜。有菜名曰"芸薇",类有三种,紫色者最繁,味辛,其根烂熳,春夏叶密,秋蕊冬馥,其实若珠,五色,随时而盛,一名"芸芝"。其色紫者为上蔬,其味辛;色黄者为中蔬,其味甘;色青者为下蔬,其味咸。常以三蔬充御膳。其叶可以藉饮食,以供宗庙祭祀,亦止人渴饥。宫人采带其茎叶,香气历日不歇。

> 录曰:《大雅》云:"言采其薇。"此之类也。《草木疏》云:"其实如豆。"昔孤竹二子避世,不食周粟,于首阳山采薇而食,疑似卉。或云神类非一,弥相惑乱。可以疗饥,其色必紫,百家杂说,音旨相符。论其形品,详斯香色,虽移植芳圃,芬美莫俦。故薰兰有质,物性无改,产乖本地,逾见芬烈,譬诸姜桂,岂因地而辛矣!当此一代,是谓仙蔬,实为神异。

张华为九酝酒,以三薇渍麹蘖,蘖出西羌,麹出北胡。胡中有指星麦,四月火星出,麦熟而获之。蘖用水渍麦三夕而萌芽,平旦鸡鸣而用之,俗人呼为"鸡鸣麦"。以之酿酒,醇美,久含令人齿动。若大醉,不叫笑摇荡,令人肝肠消烂,俗人谓为"消肠酒"。或云醇酒可为长宵之乐,两说声同而事异也。闾里歌曰:"宁得醇酒消肠,不与日月齐光。"言耽此美酒,以悦一时,何用保守灵而取长久。至怀帝末,民间园圃皆生蒿棘,狐兔游聚。至元熙元年,太史令高堂忠奏荧惑犯紫微,若不早避,当无洛阳。乃诏内外四方及京邑诸宫观林卫之内,及民间园圃,皆植紫薇,以为厌胜。至刘、石、姚、苻之末,此蒿棘不除自绝也。

晋太康元年,白云起于灞水,三日而灭。有司奏云:"天下应太平。"帝问其故,曰:"昔舜时黄云兴于郊野,夏代白云蔽于都邑,殷代玄云覆于林薮,斯皆应世之休征,殊乡绝域应有贡其方物也。"果有羽山之民献火浣布万匹。其国人称:"羽山之上,有文石,生火,烟色以随四时而见,名为'净火'。有不洁之衣,投于火石之上,虽滞污渍涅,皆如新浣。"当虞舜时,其国献黄布;汉末献赤布,梁冀制为衣,谓之"丹衣"。史家云:"单衣今缝掖也。"字异声同,未知孰是。

录曰:帝王之兴,叶休祥之应,天无隐祥,地无蓄宝,是以因神物以表运,见星云以观德。按《周官》有冯相氏,以观祥录之数。晋以金德,故白云起于灞水。《山海经》及《异物志》云:"燃洲之兽,生于火中,以毛织为布,虽有垢腻,投火则洁净也。"两说不同,故偕录焉。

因墀国献五足兽,状如师子;玉钱千缗,其形如环,环重十两,上有"天寿永吉"之字。问其使者五足兽是何变化,对曰:"东方有解形之民,使头飞于南海,左手飞于东山,右手飞于西泽,自脐以下,两足孤立。至暮,头还肩上,两手遇疾风飘于海外,落玄洲之上,化为五足兽,则一指为一足也。其人既失两手,使傍人割里肉以为两臂,宛然如旧也。"因墀国在西域之北,送使者以铁为车轮,十年方至晋。及还,轮皆绝锐,莫知其远近也。

太始元年,魏帝为陈留王之岁,有频斯国人来朝,以五色玉为衣,如今之铠。其使不食中国滋味,自赍金壶,壶中有浆,凝如脂,尝一滴则寿千岁。其国有大枫木成林,高六七十里,善算者以里计之,雷电常出树之半。其枝交荫于上,蔽不见日月之光。其下平净扫洒,雨雾不能入焉。树东有大石室,可容万人坐。壁上刻为三皇之像:天皇十三头,地皇十一头,人皇九头,皆龙身。亦有膏烛之处。缉石为床,床上有膝痕深三寸。床前有竹简长尺二寸,书大篆之文,皆言开辟以来事,人莫能识。或言是伏羲画卦之时有此书,或言是仓颉造书之处。傍有丹石井,非人之所凿,下及漏泉,水常沸涌,诸仙欲饮之时,以长绠引汲也。其国人皆多力,不食五谷,日中无影,饮桂浆云雾。羽毛为衣,发大如缕,坚韧如筋,伸之几至一丈,置之自缩如蠹。续人发以为绳,汲丹井之水,久久方得升之水。水中有白蛙,两翅,常来去井上,仙者食之。至周,王子晋临井而窥,有青雀衔玉杓以授子晋,子晋取而食之,乃有云起雪飞。子晋以衣袖挥云,则云雪自止。白蛙化为双白鸠入云,望之遂灭。皆频斯国之所记,盖其人年不可测也。使图其国山川地势瑰异之属，以示张华。华云："此神异之国，难可验信。"以车马珍服送之出关。

张华字茂先，挺生聪慧之德，好观秘异图纬之部，捃采天下遗逸，自书契之始，考验神怪，及世间闾里所说，造《博物志》四百卷，奏于武帝。帝诏诘问："卿才综万代，博识无伦，远冠羲皇，近次夫子。然记事采言，亦多浮妄，宜更删翦，无以冗长成文。昔仲尼删《诗》、《书》，不及鬼神幽昧之事，以言怪力乱神。今卿《博物志》，惊所未闻，异所未见，将恐惑乱于后生，繁芜于耳目，可更芟截浮疑，分为十卷。"即于御前赐青铁砚，此铁是于阗国所出，献而铸为砚也。赐麟角笔，以麟角为笔管，此辽西国所献。侧理纸万番，此南越所献。后人言"陟里"，与"侧理"相乱，南人以海苔为纸，其理纵横邪侧，因以为名。帝常以《博物志》十卷置于函中，暇日览焉。

惠帝元熙二年，改为永平元年，常山郡献伤魂鸟，状如鸡，毛色似凤。帝恶其名，弃而不纳，复爱其毛羽。当时博物者云："黄帝杀蚩尤，有貔、虎误噬一妇人，七日气不绝，黄帝哀之，葬以重棺石椁。有鸟翔其冢上，其声自呼为伤魂，则此妇人之灵也。"后人不得其令终者，此鸟来集其国园林之中。至汉哀、平之末，王莽多杀伐贤良，其鸟驱来哀鸣。时人疾此鸟名，使常山郡国弹射驱之。至晋初，干戈始戢，四海攸归，山野间时见此鸟。憎其名，改"伤魂"为"相弘"。及封孙皓为归命侯，相弘之义，叶于此矣。永平之末，死伤多故，门嗟巷哭，常山有献，遂放逐之。

太始十年，有浮支国献望舒草，其色红，叶如荷，近望则如卷荷，远望则如舒荷，团团似盖。亦云，月出则荷舒，月没则叶卷。植于宫中，因穿池广百步，名曰望舒荷池。愍帝之末，移入胡，胡人将种还胡中。至今绝矣，池亦填塞。

祖梁国献蔓金苔，色如黄金，若萤火之聚。大如鸡卵，投于水中，蔓延于波澜之上，光出照日，皆如火生水上也。乃于宫中穿池，广百步，时观此苔，以乐宫人。宫人有幸者，以金苔赐之，置漆盘中，照耀满室，名曰"夜明苔"；著衣襟则如火光。帝虑外人得之，有惑百姓，诏使除苔塞池。及皇家丧乱，犹有此物，皆入胡中。

石季伦爱婢名翔风，魏末于胡中得之。年始十岁，使房内养之。至十五，无有比其容貌，特以姿态见美。妙别玉声，巧观金色。石氏之富，方比王家，骄侈当世，珍宝奇异，视如瓦砾，积如粪土，皆殊方异国所得，莫有辨识其出处者。乃使翔风别其声色，悉知其处。言西方北方，玉声沉重而性温润，佩服者益人性灵；东方南方，玉声轻洁而性清凉，佩服者利人精神。石氏侍人，美艳者数千人，翔风最以文辞擅爱。石崇尝语之曰：“吾百年之后，当指白日，以汝为殉。”答曰：“生爱死离，不如无爱，妾得为殉，身其何朽！”于是弥见宠爱。崇常择美容姿相类者十人，装饰衣服大小一等，使忽视不相分别，常侍于侧。使翔风调玉以付工人，为倒龙之佩，紫金为凤冠之钗，言刻玉为倒龙之势，铸金钗象凤皇之冠。结袖绕楹而舞，昼夜相接，谓之“恒舞”。欲有所召，不呼姓名，悉听佩声，视钗色，玉声轻者居前，金色艳者居后，以为行次而进也。使数十人各含异香，行而语笑，则口气从风而飏。又屑沉水之香，如尘末，布象床上，使所爱者践之。无迹者赐以真珠百琲，有迹者节其饮食，令身轻弱。故闺中相戏曰：“尔非细骨轻躯，那得百琲真珠？”及翔风年三十，妙年者争嫉之，或者云“胡女不可为群”，竞相排毁。石崇受谮润之言，即退翔风为房老，使主群少，乃怀怨而作五言诗曰：“春华谁不美，卒伤秋落时。突烟还自低，鄙退岂所期！桂芳徒自蠹，失爱在娥眉。坐见芳时歇，憔悴空自嗤！”石氏房中并歌此为乐曲，至晋末乃止。

石虎于太极殿前起楼，高四十丈，结珠为帘，垂五色玉佩，风至铿锵，和鸣清雅。盛夏之时，登高楼以望四极，奏金石丝竹之乐，以日继夜。于楼下开马埒射场，周回四百步，皆文石丹沙及彩画于埒旁。聚金玉钱贝之宝，以赏百戏之人。四厢置锦幔，屋柱皆隐起为龙凤百兽之形，雕斫众宝，以饰楹柱，夜往往有光明。集诸羌互于楼上。时亢旱，舂杂宝异香为屑，使数百人于楼上吹散之，名曰“芳尘”。台上有铜龙，腹容数百斛酒，使胡人于楼上嗽酒，风至望之如露，名曰“粘雨台”，用以洒尘。楼上戏笑之声，音震空中。又为四时浴室，用鍮石斟珷为堤岸，或以琥珀为瓶杓。夏则引渠水以为池，池中皆以纱縠为囊，盛百杂香，渍于水中。严冰之时，作铜屈龙数千枚，各重数十斤，

烧如火色,投于水中,则池水恒温,名曰"燋龙温池"。引凤文锦步障
萦蔽浴所,共宫人宠嬖者解媟服宴戏,弥于日夜,名曰"清嬉浴室"。
浴罢,泄水于宫外。水流之所,名"温香渠"。渠外之人,争来汲取,得
升合以归,其家人莫不怡悦。至石氏破灭,燋龙犹在邺城,池今夷
塞矣。

　　录曰:居室见妒,故亦奸巧之恒情,因娇湎嬖,而菲锦之辞
入。至于惑听邪诒,岂能隔于求媚;凭欢藉幸,缘和媢而相容。
是以先宠未退,盛衰之萌兆矣;一朝爱退,皎日之誓忽焉。清奏
薄言,怨刺之辞乃作。石崇叨擅时资,财业倾世,遂乃歌拟房中,
乐称"恒舞",季庭管室,岂独古之贬乎!石虎席卷西京,崇丽妖
虐,外僭和鸾文物之仪,内修三英、九华之号,灵祥远贡,光耀旧
都,珠玑丹紫,饰备于土木。自古以来,四夷侵掠,骄奢僭暴,擅
位偷安,富有之业,莫此比焉。

卷 十

诸 名 山

昆 仑 山

昆仑山有昆陵之地,其高出日月之上。山有九层,每层相去万里。有云色,从下望之,如城阙之象。四面有风,群仙常驾龙乘鹤,游戏其间。四面风者,言东南西北一时俱起也。又有祛尘之风,若衣服尘污者,风至吹之,衣则净如浣濯。甘露濛濛似雾,著草木则滴沥如珠。亦有朱露,望之色如丹,著木石赭然,如朱雪洒焉。以瑶器承之,如粡。昆仑山者,西方曰须弥山,对七星之下,出碧海之中。上有九层,第六层有五色玉树,荫翳五百里,夜至水上,其光如烛。第三层有禾穟,一株满车。有瓜如桂,有奈冬生如碧色,以玉井水洗食之,骨轻柔能腾虚也。第五层有神龟,长一尺九寸,有四翼,万岁则升木而居,亦能言。第九层山形渐小狭,下有芝田蕙圃,皆数百顷,群仙种耨焉。傍有瑶台十二,各广千步,皆五色玉为台基。最下层有流精霄阙,直上四十丈。东有风云雨师阙。南有丹密云,望之如丹色,丹云四垂周密。西有螭潭,多龙螭,皆白色,千岁一蜕其五脏。此潭左侧有五色石,皆云是白螭肠化成此石。有琅玕璆琳之玉,煎可以为脂。北有珍林别出,折枝相扣,音声和韵。九河分流。南有赤陂红波,千劫一竭,千劫水乃更生也。

蓬 莱 山

蓬莱山亦名防丘,亦名云来,高二万里,广七万里。水浅,有细石如金玉,得之不加陶冶,自然光净,仙者服之。东有郁夷国,时有金雾。诸仙说此上常浮转低昂,有如山上架楼,室常向明以开户牖,及雾灭歇，户皆向北。其西有含明之国，缀鸟毛以为衣，承露而饮，终天登高取水，亦以金、银、仓环、水精、火藻为阶。有冰水、沸水，饮者千岁。有大螺名裸步，负其壳露行，冷则复入其壳。生卵着石则软，取之则坚。明王出世，则浮于海际焉。有莨，红色，可编为席，温柔如罽毲焉。有鸟名鸿鹅，色似鸿，形如秃鹙，腹内无肠，羽翮附骨而生，无皮肉也。雄雌相眄则生产。南有鸟，名鸳鸯，形似雁，徘徊云间，栖息高岫，足不践地，生于石穴中，万岁一交则生雏，千岁衔毛学飞，以千万为群，推其毛长者高骞万里。圣君之世，来入国郊。有浮筠之簳，叶青茎紫，子大如珠，有青鸾集其上。下有沙砺，细如粉，柔风至，叶条翻起，拂细沙如云雾。仙者来观而戏焉，风吹竹叶，声如钟磬之音。

方　丈　山

方丈之山，一名峦雉。东有龙场，地方千里，玉瑶为林，云色皆紫。有龙，皮骨如山阜，散百顷，遇其蜕骨之时，如生龙。或云："龙常斗此处，膏血如水流。膏色黑者，著草木及诸物如淳漆也。膏色紫光，著地凝坚，可为宝器。"燕昭王二年，海人乘霞舟，以雕壶盛数斗膏，以献昭王。王坐通云之台，亦曰通霞台，以龙膏为灯，光耀百里，烟色丹紫，国人望之，咸言瑞光，世人遥拜之。灯以火浣布为缠。山西有照石，去石十里，视人物之影如镜焉。碎石片片，皆能照人，而质方一丈，则重一两。昭王春此石为泥，泥通霞之台，与西王母常游居此台上。常有众鸾凤鼓舞，如琴瑟和鸣，神光照耀，如日月之出。台左右种恒春之树，叶如莲花，芬芳如桂，花随四时之色。昭王之末，仙人贡焉，列国咸贺。王曰："寡人得恒春矣，何忧太清不至。"恒春一名"沉生"，如今之沉香也。有草名濡莎，叶色如绀，茎色如漆，细软可萦，海人织以为席荐，卷之不盈一手，舒之则列坐方国之宾。莎萝为经。莎萝草细大如发，一茎百寻，柔软香滑，群仙以为龙、鹄之辔。有池方百里，水浅可涉，泥色若金而味辛，以泥为器，可作舟矣。百炼可为金，色青，照鬼魅犹如石镜，魑魅不能藏形矣。

瀛　洲

　　瀛洲一名魂洲，亦曰环洲。东有渊洞，有鱼长千丈，色斑，鼻端有角，时鼓舞群戏。远望水间有五色云，就视，乃此鱼喷水为云，如庆云之丽，无以加也。有树名影木，日中视之如列星，万岁一实，实如瓜，青皮黑瓤，食之骨轻。上如华盖，群仙以避风雨。有金峦之观，饰以众环，直上干云。中有青瑶几，覆以云纨之素，刻碧玉为倒龙之状，悬火精为日，刻黑玉为乌，以水精为月，青瑶为蟾兔。于地下为机棙，以测昏明，不亏弦望。时时有香风泠然而至，张袖受之，则历年不歇。有兽名嗅石，其状如麒麟，不食生卉，不饮浊水，嗅石则知有金玉，吹石则开，金沙宝璞，粲然而可用。有草名芸苗，状如菖蒲，食叶则醉，饵根则醒。有鸟如凤，身绀翼丹，名曰“藏珠”，每鸣翔而吐珠累斛。仙人常以其珠饰仙裳，盖轻而耀于日月也。

员　峤　山

　　员峤山，一名环丘。上有方湖，周回千里。多大鹊，高一丈，衔不周之粟。粟穗高三丈，粒皎如玉。鹊衔粟飞于中国，故世俗间往往有之。其粟，食之历月不饥。故《吕氏春秋》云：“粟之美者，有不周之粟焉。”东有云石，广五百里，驳骆如锦，扣之片片，则翁然云出。有木名猗桑，煎椹以为蜜。有冰蚕长七寸，黑色，有角有鳞，以霜雪覆之，然后作茧，长一尺，其色五彩，织为文锦，入水不濡，以之投火，经宿不燎。唐尧之世，海人献之，尧以为黼黻。西有星池千里，池中有神龟，八足六眼，背负七星、日、月、八方之图，腹有五岳、四渎之象。时出石上，望之煌煌如列星矣。有草名芸蓬，色白如雪，一枝二丈，夜视有白光，可以为杖。南有移池国，人长三尺，寿万岁，以茅为衣服，皆长裾大袖，因风以升烟霞，若鸟用羽毛也。人皆双瞳，修眉长耳，餐九天之正气，死而复生，于亿劫之内，见五岳再成尘。扶桑万岁一枯，其人视之如旦暮也。北有浣肠之国，甜水绕之，味甜如蜜，而水强流迅急，千钧投之，久久乃没。其国人常行于水上，逍遥于绝岳之岭，度天下广狭，绕八柱为一息，经四轴而暂寝，拾尘吐雾，以算历劫之数，而成阜丘,亦不尽也。

岱 舆 山

岱舆山,一名浮析,东有员渊千里,常沸腾,以金石投之,则烂如土矣。孟冬水涸,中有黄烟从地出,起数丈,烟色万变。山人掘之,入地数尺,得燋石如炭灭,有碎火,以蒸烛投之,则然而青色,深掘则火转盛。有草名莽煌,叶圆如荷,去之十步,炙人衣则燋,刈之为席,方冬弥温,以枝相摩,则火出矣。南有平沙千里,色如金,若粉屑,靡靡常流,鸟兽行则没足。风吹沙起若雾,亦名金雾,亦曰金尘。沙著树粲然,如黄金涂矣。和之以泥,涂仙宫,则晃昱明粲也。西有乌玉山,其石五色而轻,或似履舄之状,光泽可爱,有类人工。其黑色者为胜,众仙所用焉。北有玉梁千丈,驾玄流之上,紫苔覆漫,味甘而柔滑,食者千岁不饥。玉梁之侧,有斑斓自然云霞龙凤之状。梁去玄流千余丈,云气生其下。傍有丹桂、紫桂、白桂,皆直上千寻,可为舟航,谓之"文桂之舟"。亦有沙棠、豫章之木,长千寻,细枝为舟,犹长十丈。有七色芝生梁下,其色青,光辉耀,谓之"苍芝"。荧火大如蜂,声如雀,八翅六足。梁有五色蝙蝠,黄者无肠,倒飞,腹向天;白者脑重,头垂自挂;黑者如乌,至千岁形变如小燕;青者毫毛长二寸,色如翠;赤者止于石穴,穴上入天,视日出入恒在其上。有兽名嗽月,形似豹,饮金泉之液,食银石之髓。此兽夜喷白气,其光如月,可照数十亩。轩辕之世获焉。有遥香草,其花如丹,光耀入月,叶细长而白,如忘忧之草,其花叶俱香,扇馥数里,故名遥香草。其子如薏中实,甘香,食之累月不饥渴,体如草之香,久食延龄万岁。仙人常采食之。

昆 吾 山

昆吾山,其下多赤金,色如火。昔黄帝伐蚩尤,陈兵于此地,掘深百丈,犹未及泉,惟见火光如星。地中多丹,炼石为铜,铜色青而利。泉色赤。山草木皆劲利,土亦刚而精。至越王勾践,使工人以白马白牛祠昆吾之神,采金铸之,以成八剑之精:一名掩日,以之指日,则光昼暗。金阴也,阴盛则阳灭。二名断水,以之划水,开即不合。三名转魄，以之指月，蟾兔为之倒转。四名悬翦，飞鸟游过触其刃，如斩截焉。五名惊鲵，以之泛海，鲸鲵为之深入。六曰灭魂，挟之夜行，不逢魑魅。七名却邪，有妖魅者，见之则伏。八名真刚，以切玉断金，如削土木矣。以应八方之气铸之也。其山有兽，大如兔，毛色如金，食土下之丹石，深穴地以为窟；亦食铜铁，胆肾皆如铁。其雌者色白如银。昔吴国武库之中，兵刃铁器，俱被食尽，而封署依然。王令检其库穴，猎得双兔，一白一黄，杀之，开其腹，而有铁胆肾，方知兵刃之铁为兔所食。王乃召其剑工，令铸其胆肾以为剑，一雌一雄，号"干将"者雄，号"镆铘"者雌。其剑可以切玉断犀，王深宝之，遂霸其国。后以石匣埋藏。及晋之中兴，夜有紫色冲斗牛。张华使雷焕为丰城县令，掘而得之。华与焕各宝其一。拭以华阴之土，光耀射人。后华遇害，失剑所在。焕子佩其一剑，过延平津，剑鸣飞入水。及入水寻之，但见双龙缠屈于潭下，目光如电，遂不敢前取矣。

洞 庭 山

洞庭山浮于水上，其下有金堂数百间，玉女居之。四时闻金石丝竹之声，彻于山顶。楚怀王之时，举群才赋诗于水湄，故云潇湘洞庭之乐，听者令人难老，虽《咸池》《九韶》，不得比焉。每四仲之节，王常绕山以游宴，各举四仲之气以为乐章。仲春律中夹钟，乃作轻风流水之诗，宴于山南；律中蕤宾，乃作皓露秋霜之曲。后怀王好进奸雄，群贤逃越。屈原以忠见斥，隐于沅湘，披蓁茹草，混同禽兽，不交世务，采柏实以合桂膏，用养心神；被王逼逐，乃赴清泠之水。楚人思慕，谓之水仙。其神游于天河，精灵时降湘浦。楚人为之立祠，汉末犹在。其山又有灵洞，入中常如有烛于前。中有异香芬馥，泉石明朗。采药石之人入中，如行十里，迥然天清霞耀，花芳柳暗，丹楼琼宇，宫观异常。乃见众女，霓裳冰颜，艳质与世人殊别。来邀采药之人，饮以琼浆金液，延入璇室，奏以箫管丝桐。饯令还家，赠之丹醴之诀。虽怀慕恋，且思其子息，却还洞穴，还若灯烛导前，便绝饥渴，而达旧乡。已见邑里人户，各非故乡邻，唯寻得九代孙。问之，云："远祖入洞庭山采药不还，今经三百年也。"其人说于邻里，亦失所之。

　　录曰：按《禹贡》山海，正史说名山大泽，或不列书图，著于编杂之部。或有乍无，或同乍异，故使览者回惑而疑焉。至如《列子》所说，员峤、岱舆，瑰奇是聚，先《坟》莫记。蓬莱、瀛洲、方丈，各有别名；昆吾神异，张骞亦云焉。睹华戎不同寒暑律人獝禽至其异气，云水草木，怪丽殊形，考之载籍，同其生类。非夫贵远体大，则笑其虚诞。俟诸宏博，验斯灵异焉。

异　　苑

[南朝宋] 刘敬叔　撰
　　　　黄益元　校点

校 点 说 明

　　《异苑》十卷，南朝宋刘敬叔撰。敬叔史书无传，明胡震亨汇其事之散见史书者为《刘敬叔传》，称刘敬叔彭城（今江苏徐州）人。起家中兵参军，司徒掌记，东晋安帝义熙中拜南平国郎中令，以事忤刘毅，为所奏免官。宋初召为征西长史，文帝元嘉三年（426）入为给事黄门郎。明帝泰始（465—471）中卒于家。又敬叔自称义熙十三年（417）为长沙景王（刘道怜）骠骑参军（见《异苑》卷三"货牛淹泪"条），传未载。

　　《隋书·经籍志》著录："《异苑》十卷，宋给事刘敬叔撰。"并著录《续异苑》十卷，不著撰人姓氏。《旧唐书》以下各史志无目。明万历中胡震亨于临安获宋本，与友人沈汝纳校定百余字，刻入《秘册汇函》，遂得流传于世。后《津逮秘书》、《学津讨原》、《说库》、《古今说部丛书》皆收之，《四库全书》收入子部小说家类异闻之属，俱为十卷。《唐宋丛书》、《五朝小说》、《说郛》卷一一七皆收一卷，系节本。《说郛》卷一一三录《梁清传》一篇，实亦出本书卷六"梁清家诸异"条。《旧小说》甲集录七条。

　　《异苑》收罗古今怪异之事三百八十三则。上起晋文公、秦始皇，下迄刘裕、刘毅等，凡天文地理、社会人文、自然民俗之神异谲怪之事，"几备矣"（毛晋语）。《四库总目提要》称"其书皆言神怪之事"，"其词旨简澹，无小说家猥琐之习"。且全书"大致尚为完整，与《博物志》、《述异记》全出后人补缀者不同"，"断非六朝以后所能作"。唐刘知幾《史通》称《晋书》载惠帝元康五年武库火，汉高祖斩蛇剑穿屋飞去之怪事，即据本书卷二"武库火"条载入。又如卷五"厕神后帝"条、"紫姑神"条，最早记录厕神后帝（即紫姑神）的来历及民间正月十五迎厕神的习俗，为《荆楚岁时记》、《初学记》、《太平御览》等多种书籍所引用，于民俗学研究有珍贵的史料价值。

此次整理，以《学津讨原》本为底本，参校《说库》本、《古今说部丛书》本、《四库全书》本，凡有异文，择善而从，不出校记。避讳字则径正之。又《学津讨原》本目录各卷下均拟有标题，现并移至各条目前，以便阅读。

目　录

异苑题辞 / 胡震亨　81

刘敬叔传 / 胡震亨　83

卷一

美人虹 / 85

虹化妪 / 85

九嶷山舜庙 / 85

汨潭马迹 / 86

天台山 / 86

陶侃钓矶 / 87

百丈山石书 / 87

沙山鼓角 / 87

五百陂 / 88

飞鱼径 / 88

龙吒 / 89

井砖疑龙 / 89

沃沮东界 / 89

饮虹吐金 / 85

白虹入室 / 85

衡山三峰 / 86

姑石山 / 86

卞山石柜 / 86

乘矶山 / 87

涛山角声 / 87

句容水脉 / 87

百簿濑 / 88

山井鸟巢 / 88

沸井 / 89

武溪石穴 / 89

卷二

洛钟鸣 / 90

铜澡盘 / 90

显节陵策文 / 90

金锁金牛 / 91

吴郡石鼓 / 90

燃石 / 90

武库火晋惠帝元康五年 / 91

钱变土 / 91

铜炉自行 / 91　　　　　一船金 / 91
樟竹桁大船 / 92　　　　山阴县钱船 / 92
金鼎变铜铎 / 92　　　　钟鸣水中 / 92
元马河碧珠 / 92　　　　铜釜作声 / 92
铜马 / 93　　　　　　　玉狁 / 93
洗石孕金 / 93　　　　　石骆驼 / 93
佛发 / 93　　　　　　　石城甘橘 / 94
五色浮石 / 94　　　　　柑化鸢 / 94
竹生花 / 94　　　　　　枣生桃李 / 94
桑再椹 / 94　　　　　　白桑椹 / 95
竹节中人 / 95　　　　　连理竹 / 95
嘉瓜 / 95　　　　　　　一瓜三茎 / 95
越王菜 / 95　　　　　　土藷 / 95
土精 / 96　　　　　　　交州菌 / 96
神农窟 / 96

卷三

鹤语 / 97　　　　　　　鸾鸣 / 97
鹦鹉说梦 / 97　　　　　鹦鹉灭火 / 97
鸲鹆学语 / 98　　　　　鸲鹆听琵琶 / 98
山鸡舞镜 / 98　　　　　群乌咋犬 / 98
杜鹃催鸣 / 98　　　　　鸡作人语 / 98
金色鹅 / 99　　　　　　鹅引导 / 99
虎标 / 99　　　　　　　虎攫府佐 / 99
美女变虎 / 99　　　　　畜虎理讼 / 100
醉共虎眠 / 100　　　　　熊穴辟秽 / 100
熊呼字 / 100　　　　　　刘幡射獐 / 100
大客 / 101　　　　　　　货牛淹泪 / 101
马度苻坚 / 101　　　　　犬殉 / 101
狡兔 / 101　　　　　　　鼠王国 / 102
拱鼠 / 102　　　　　　　义鼠 / 102

唐鼠 / 102　　　　　　囊珠报德 / 102

刀子换貂皮 / 103　　　蒋山精附《抱朴子》/ 103

龙鲊 / 103　　　　　　宅龙致富 / 103

西寺异物 / 104　　　　土龙 / 104

槎变龙 / 104　　　　　射蛟暴死 / 104

邓遐治蛟 / 104　　　　蒙山大蛇 / 105

饷田异报 / 105　　　　蛇化雉 / 105

蛇应雉媒 / 105　　　　竹中蛇雉 / 105

钟忠畜蛇 / 106　　　　蛇衔草 / 106

蛇公 / 106　　　　　　诸葛博识 / 106

叩龟得路 / 107　　　　鲐鱼 / 107

死人发变鳝 / 107　　　煮肉变虾蟆 / 107

蝶变鳖 / 107　　　　　鹦鹉螺 / 108

苍蝇传诏 / 108　　　　叩头虫 / 108

缢女 / 108

卷四

火井 / 109　　　　　　数世天子 / 109

邺宫刻字 / 109　　　　梦日环城 / 109

黄气钟灵 / 110　　　　管浵王献剑 / 110

襄国谶 / 110　　　　　灵昌津 / 110

长安谣 / 110　　　　　天麦 / 111

神自称玄冥 / 111　　　枭鸣牙中 / 111

刘季奴 / 111　　　　　女水 / 111

小儿辇沙 / 112　　　　晋宣帝庙 / 112

海凫毛 / 112　　　　　衣中火光 / 112

玉马缺口齿 / 112　　　洛城二鹅 / 113

巾箱中鼓角 / 113　　　卢修叛谶 / 113

义熙火灾 / 113　　　　孙恩乱兆 / 113

藏驱凶兆 / 114　　　　苻秦亡征 / 114

慕容死猎 / 114　　　　西秦将亡 / 114

霹雳题背 / 114　　　　　人像无头 / 115

卢龙将乱 / 115　　　　　元嘉末妖孽 / 115

德星聚 / 115　　　　　　血迹公字 / 115

桓灵宝 / 116　　　　　　魏肇之 / 116

刘道人 / 116　　　　　　埋钱免灾 / 116

刺史预兆 / 116　　　　　贾谧伏诛 / 117

刘氏狗妖 / 117　　　　　人头窥户 / 117

北伐败征 / 117　　　　　照镜无面 / 117

盼刀相 / 118　　　　　　安石薨兆 / 118

青衣女子 / 118　　　　　王缓伏诛 / 118

鼠孽兆亡 / 118　　　　　桓振将灭 / 119

刘毅作逆 / 119　　　　　傅亮被诛 / 119

檀道济凶兆 / 119　　　　扬州青 / 120

黑龙无后足 / 120　　　　借头 / 120

炙变人头 / 120　　　　　刘敬宣败 / 120

狗作人言 / 121　　　　　鸡突灶火 / 121

张司空暴疾 / 121　　　　谢临川被诛 / 121

赤鬼 / 121　　　　　　　蜈蚣 / 122

魂卧曝席 / 122

卷五

梅姑庙 / 123　　　　　　宫亭湖庙 / 123

江神祠 / 123　　　　　　竹王祠 / 123

徐君庙 / 124　　　　　　伍员庙 / 124

厕神后帝 / 124　　　　　海山使者 / 124

丹阳袁双 / 125　　　　　青溪小姑 / 125

仇王 / 125　　　　　　　圣公 / 125

驱除大将军 / 126　　　　命囊一挺炭 / 126

鬼子母 / 126　　　　　　紫姑神 / 126

左苍右黄 / 127　　　　　杨明府 / 127

卞山项庙 / 127　　　　　张舒受秘术 / 127

钱祐受术数 / 128

十二棋卜 / 128

太山府君 / 128

鳝父庙 / 128

龙载船 / 129

王子晋 / 129

鸟迹书 / 129

徐公遇仙 / 129

挎蒱仙 / 129

梵唱 / 130

慧远咒龙 / 130

慧炽见形 / 130

灵味 / 130

双屐 / 131

恶戏报 / 131

天钵 / 131

诵经停刑 / 131

折鸭翅报 / 131

卷六

王陵 / 133

夏侯玄 / 133

嵇中散 / 133

土瓦中人 / 133

山阳王辅嗣 / 134

朱彦胆勇 / 134

鬼唱佳声 / 134

麻子轩 / 134

形见慰母 / 135

荀泽见形 / 135

亡妇免夫 / 135

庾绍之见形 / 135

山阴徐琦 / 136

葛辉夫妖死 / 136

团扇梦别 / 136

朱衣吏滥取 / 136

鬼歌子夜 / 137

许氏鬼祟 / 137

床下老公 / 137

秦树冥缘 / 137

灵侯 / 138

户外应声 / 138

妒鬼 / 138

花上盈盈 / 138

亡儿慰母 / 139

鬼作嗔声 / 139

打鼓称冤 / 139

司马家奴 / 139

颜延之妾 / 140

鬼食粗粝 / 140

厕中怪 / 140

刘元入魏 / 140

麝香辟恶 / 140

一足鬼 / 141

鬼作五木 / 141

七日假 / 141

黄父鬼 / 141

山灵 / 142

鬼避徐叔宝 / 142

梁清家诸异 / 142

青桐树 / 143

卷七

武帝冢中物 / 144 　　　　礜石冢 / 144

苍梧王墓 / 144 　　　　茗饮获报 / 144

金镜助赠 / 145 　　　　古坟鼓角 / 145

诸葛间墓 / 145 　　　　鸡山雉涧 / 145

戴墓王气 / 146 　　　　古墓完尸 / 146

漆棺老姥 / 146 　　　　黄公冢 / 146

即墨古冢 / 147 　　　　黄帝伶人 / 147

梦得大象 / 147 　　　　邓庙 / 147

河神请马 / 147 　　　　梦生八翼 / 148

燃犀照渚 / 148 　　　　苻坚凶梦 / 148

梦合子生 / 148 　　　　慧猷诗梦 / 148

王戎梦椹 / 149 　　　　龙山神 / 149

长人入梦 / 149 　　　　梦得如意 / 149

衡阳守 / 150 　　　　梦谢拯棺 / 150

梦还符谶 / 150 　　　　刘穆之佳梦 / 150

丧仪如梦 / 151 　　　　沈庆之异梦 / 151

谢客儿 / 151

卷八

赵晃劾蛇妖 / 152 　　　　乐广治狸怪 / 152

徐奭遇女妖 / 152 　　　　桓谦灭门兆 / 153

青衣人索骨 / 153 　　　　异物象形 / 153

龟载碑还 / 153 　　　　牝猴入簀 / 153

扫帚怪 / 154 　　　　紫衣女 / 154

伐桃致怪 / 154 　　　　赤苋魅 / 154

武昌三魅 / 155 　　　　罴魅 / 155

暂同阜虫 / 155 　　　　獭化 / 156

蜘蛛魅 / 156 　　　　王纂针魅 / 156

狸中狸 / 156 　　　　石龟耗粟 / 156

绳弧获髻 / 157　　　树下老公 / 157

徐女复生 / 157　　　陈忠女 / 157

乐安章沉 / 158　　　胎教 / 158

额上生儿 / 158　　　怀妊生冰 / 158

怪胎 / 159　　　　　温盘石 / 159

人兽合胎 / 159　　　髀疮生儿 / 159

刘毅妻妖胎 / 159　　尸生儿 / 159

汉末小黄门 / 160　　猎见异人 / 160

猎人化鹿 / 160　　　社公令作虎 / 160

吏变三足虎 / 161　　神罚作虎 / 161

胡道洽 / 161　　　　天谪变熊 / 161

谢白面 / 161　　　　啖鸭成瘕 / 162

食牛作牛鸣 / 162　　误吞发成瘕 / 162

卷九

郑康成 / 163　　　　亡牛已下十条并系管辂 / 163

失妻 / 163　　　　　火灾 / 164

盗鹿 / 164　　　　　失物 / 164

鸟鸣 / 164　　　　　飞鸠 / 165

饯席射覆 / 165　　　印囊山鸡毛 / 165

王经迁官 / 165　　　赵侯异术 / 166

庾嘉德善筮 / 166　　任诩从军 / 166

沐坚咒毙 / 167　　　泾祠妖幻 / 167

黄金傲船 / 167　　　孙溪奴 / 167

永嘉阳童 / 167　　　王仆医术 / 168

卷十

足下之称 / 169　　　田文五月生 / 169

吴客木雕 / 169　　　颜乌纯孝 / 169

曹娥碑 / 170　　　　管宁思过 / 170

徐邈私饮 / 170　　　妒妻绝嗣 / 170

满奋膏汗 / 171　　　雷震不惊 / 171

周虓守节 / 171　　　掘金相让 / 171

投笺河伯 / 172　　　张贞妇 / 172

杨香扼虎 / 172　　　崔景贤惠政 / 172

任城王沉饮 / 172　　刘邕嗜痂 / 172

孙广忌虱 / 173　　　刘俙鹛 / 173

扬贩藏镪 / 173

异 苑 题 辞

　　戊子岁，余就试临安，同友人姚叔祥、吕锡侯，诣徐贾检书。废册山积，每抽一编，则飞尘嚏人。最后得刘敬叔《异苑》，是宋纸所抄。三人目顾色飞，即罄酒资易归。各录一通，随各证定讹漏，互录简端。未几，锡侯物故，叔祥游塞；余亦兀兀诸生间。此书遂置为蠹丛。又十年为戊戌，下第南归，与友人沈汝纳同舟。出示之，复共证定百许字，遂称善本。余间语叔祥：“何当令锡侯见之，不更快耶？”相与泫然久之。考《南史》、《宋书》，通无敬叔传；因汇其事之散在史书者，为小传，俾读者有考焉。己亥六月望，武原胡震亨识。

刘 敬 叔 传

　　刘敬叔,字敬叔,彭城人。少颖敏,有异才。起家中兵参军,司徒掌记。义熙中,刘毅与宋高祖共举义旗,克复京邸,功亚高祖,进封南平郡公。敬叔以公望推借,拜南平国郎中令。既而有诏拜南平公世子,毅以帝命崇重,当设飨宴,亲请吏佐临视。至日,国僚不重白,默拜于厩中。使人将反命,毅方知之。谓敬叔典礼,故为此慢,大以为恨。遂奏免敬叔官。及毅诛,高祖受禅,召为征西长史。元嘉三年,入为给事黄门郎。数年,以病免。太始中,卒于家。所著有《异苑》十余卷行世。

卷一

美 人 虹

古语有之曰：古者有夫妻荒年菜食而死，俱化成青绛，故俗呼"美人虹"。郭云：虹为雩，俗呼为美人。

饮 虹 吐 金

晋义熙初，晋陵薛愿有虹饮其釜澳，须臾嗡响便竭。愿辇酒灌之，随投随涸，便吐金满釜。于是灾弊日祛而丰富岁臻。

虹 化 姬

太原温湛婢，见一姬向婢流涕，无孔窍。婢骇怖，告湛。湛遂抽刀逐之，化成一物，如紫虹形，宛然长舒，上没霄汉。

白 虹 入 室

长沙王道怜子义庆，在广陵卧病。食次，忽有白虹入室，就饮其粥。义庆掷器于阶，遂作风雨声，振于庭户，良久不见。

九 嶷 山 舜 庙

衡阳山、九嶷山，皆有舜庙。每太守修理祀祭洁敬，则闻弦歌之声。汉章帝时，零陵文学奚景于冷道县祠下得笙白玉管，舜时西王母献。

衡 山 三 峰

衡山有三峰极秀。其一名华盖,又名紫盖,澄天明景,辄有一双白鹤回翔其上。一峰名石囷,下有石室,中常闻讽诵声,清响亮彻。一峰名芙蓉,最为竦桀,自非清霁素朝,不可望见。峰上有泉飞派,如一幅绢分映青林,直注山下。

汨 潭 马 迹

长沙罗县有屈原自投之川,山明水净,异于常处。民为立庙在汨潭之西,岸侧盘石马迹尚存。相传云:原投川之日,乘白骥而来。

姑 石 山

浔阳姑石山,在江之坻。初,桓玄至西下,令人登之。中岭,便闻长啸声,甚清澈;及至峰顶,见一人箕踞石上。

天 台 山

会稽天台山,虽非遐远,自非卒——作忽。生忘形,则不能跻也。赤城阻其径,瀑布激其冲。石有莓苔之险,渊有不测之深。

卞 山 石 柜

乌程卞山,本名土山;有项籍庙,自号卞王,因改名山。山足有一石柜,高数尺。陈郡殷康常往开之,风雨晦冥乃止。

陶 侃 钓 矶

钓矶山者，陶侃尝钓于此。山下水中，得一织梭，还挂壁上。有顷，雷雨。梭变成赤龙，从空而去。其山石上，犹有侃迹存焉。

乘 矶 山

乘矶山，下临清川。昔有渔父宿于川，夜半，闻水中有弦歌之音，宫商和畅，清弄谐密。

百 丈 山 石 书

百丈山上有石房，内有石案，置石书二卷。

涛 山 角 声

永宁县涛山有河，水色红赤，有自然石桥，多鱼獭异禽。阴雨时，尝闻靴角声甚亮。

沙 山 鼓 角

凉州西有沙山。俗云：昔有覆师于此者，积尸数万。从是有大风吹沙覆其上，遂成山阜，因名沙山。时闻有鼓角声。

句 容 水 脉

吴孙权赤乌八年，遣校尉陈勋漕句容，中道凿破窑，掘得一异物，无有首尾，形如数百斛船，长数十丈，蠢蠢而动。有顷，悉融液成汁，时人莫能识。得此之后，遂获泉源。或谓是水脉，每至大旱，余渎皆竭，惟此巨流焉。

五 百 陂

东乡太湖，吴庚申岁，于此有一军士五百人，将破堰，先以酒肉祈神，约令水涸。夜梦人云："塘水速竭，若见巨鳞，慎勿杀也。又有铜釜，并不可发。"明往，尺水翕然而尽，得白鱼，形状非常。小人贪利，剖而治之；见昨所祭余食，充溢肠内。须臾复得釜，又取发。水便暴出，五百人一时没溺；唯督监得存，具说事状。于今犹名此湖为"五百陂"。

百 簿 濑

永嘉郡有百簿濑。郡人断水捕鱼，宰生祷祭，以祈多获。逾时，了无所得。众侣忿怨，弃业将罢。其夕，并梦见一老公云："诸君且可小停，要思其宜。"夜忽闻有跳跃声，惊起共看，乃是大鱼，剑以为脍，顿获百簿。故因以"百簿"名濑。

飞 鱼 径

晋吴隶为鱼塞于云湖，有大鱼化为人，语隶云："晚有大鱼攻塞，切勿杀。"隶许之。须臾，有大鱼至，群鱼从之。隶同侣误杀大鱼。是夕风雨晦冥，鱼悉飞上木间。因号为"飞鱼径"。

山 井 鸟 巢

兰陵昌虑县郿—作郓。城有华山。山上有井，鸟巢其中，金喙、黑色而团翅。此鸟见，则大水。井又不可窥，窥者不盈一岁，辄死。

龙 吒

浔阳昙椿，世居长沙。宅有古井，每夜辄闻有如炮竹声相承，谓之龙吒。

沸 井

句容县有延陵季子庙。庙前井及渎，恒自涌沸，故曰"沸井"。于今犹然。亦曰"沸潭"。

井 砖 疑 龙

陈郡谢晦字宣明，宅南路上有古井。以元嘉二年，汲者忽见二龙甚分明，行道住观，莫不嗟异。有人入井，始知是砖隐起作龙形。

武 溪 石 穴

元嘉初，武溪蛮人射鹿，逐入石穴，才容人，蛮人入穴，见其旁有梯，因上梯，豁然开朗，桑果蔚然，行人翱翔，亦不以怪。此蛮于路斫树为记，其后茫然，无复仿佛。

沃 沮 东 界

河东毌邱俭，字仲恭，尝征沃沮，使王颀穷其东界。耆老云：曾有一破船随波流出，在海岸边。有一人项中复有面，生得之，与语，不相通，不食而死。又得一布衣从海中浮出，其身如中国人，衣但两袖，顿长三丈。

卷二

洛 钟 鸣

魏时，殿前大钟无故大鸣。或作不扣自鸣。人皆异之，以问张华。华曰："此蜀郡铜山崩，故钟鸣应之耳。"寻蜀郡上其事，果如华言。

吴 郡 石 鼓

晋武帝时，吴郡临平岸崩，出一石鼓，打之无声，以问张华。华云："可取蜀中桐材，刻作鱼形，打之则鸣矣。"于是如言，音闻数十里。

铜 澡 盘

晋中朝有人畜铜澡盘，晨夕恒鸣，如人扣。乃问张华，华曰："此盘与洛钟宫商相应，宫中朝暮撞钟，故声相应耳。可错令轻则韵乖，鸣自止也。"如其言，后不复鸣。

燃 石

豫章有石，黄白色而理疏，以水灌之，便热，加鼎于上，炊足以熟，冷则灌之。雷焕以问张华，华曰："此燃石也。"

显 节 陵 策 文

元康中，有人入嵩高山下，得竹简一枚，上有两行科斗书，台中外传以相示，莫有知者。司空张华以问博士束皙，皙曰："此明帝显节陵中策文也。"检校,果然。

武 库 火 <small>晋惠帝元康五年</small>

晋惠帝元康五年,武库火,烧汉高祖斩白蛇剑、孔子履、王莽头等三物。中书监张茂先惧难作,列兵陈卫。咸见此剑穿屋飞去,莫知所向。

金 锁 金 牛

晋康帝建元中,有渔父垂钓,得一金锁。引锁尽,见金牛。急挽出,牛断,犹得锁,长二尺。

钱 变 土

晋太元中,桂阳临武徐孙江行,见岸有钱溢出,即辇着船中。须臾,悉变成土。

铜 炉 自 行

晋义熙中,庞猗为宜都太守。御人牧马于野,见一铜炉上焰带锁而行,持归以呈猗。遂槛盛,逸下荆州无都北,乃<small>一作鬼</small>。忽风雨,有叫声。火光烛天,径来趋船,失炉所在。

一 船 金

义熙中,新野黄舒耕田得一船金。卜者云:"三年勿用,长守富也。"舒不能从,遂成土壤。

樟竹桁大船

晋时，钱塘浙江有樟竹桁大船。每有乘者，辄漂荡摇扬而不可禁。常鸣鼓钱塘江头，凌浪如故。惟船吏章粤能相制伏。及粤死，遂废去。

山阴县钱船

海西太和中，会稽山阴县起仓。凿得两大船，船中有钱皆轮文。时日向暮，凿者驰以告官。官夜遣防守甚严。至明旦，失钱所在，惟有船存。视其状，悉有钱处。

金鼎变铜铎

苻坚建元年中，长安樵人于城内见金鼎，走白坚。坚遣载取到，化为铜鼎；入门，又变成大铎。

钟鸣水中

西河有钟在水中，晦朔辄鸣。声响悲激，羁客闻而凄怆。

元马河碧珠

越巂门会元县有元马河，有铜钫船，河畔有祠。中有碧珠，若不祭祀，取之不祥。

铜釜作声

长山朱郭夫妻采藻涧滨，见二铜釜沿流而下，取之而归。有员盖满中，铜器光辉曜目，自然作声。郭惧运盖，北山埋之。而后卖釜，与人共载出，为货船无故自覆，失釜所在。

铜　　马

上党侯亮之于江都城下，获一石磨，下有铜马。

玉　　㹠

宏农杨子阳，闻土中有声，掘得玉㹠，长可尺许。屋栋间乃自漏秫米，如此三年，昼夜不息。米坠既止，忽有一青蛇，长数尺，住梁上，每落粪辄成碎银。子阳获银米，遂为富儿。锻银作器，货卖倍售；余家市者，随以破灭。

洗 石 孕 金

永康王旷井上有洗石，时见赤气。后有二胡人寄宿，忽求买之。旷怪所以，未及度钱。子妇孙氏睹二黄鸟斗于石上，疾往掩取，变成黄金。胡人不知，索市愈急，既得，撞破内空段有二鸟处。

石　骆　驼

西域苟一作拘。夷国山上有石骆驼，腹下出水，以金铁及手承取，即便对过；唯瓠芦盛之者，则得饮之，令人身体香净而升仙。其国神秘，不可数遇。

佛　　发

月支国有佛发，盛以琉璃罂。

石 城 甘 橘

南康归—作皈。美山石城内，有甘橘橙柚。就食其实，任意取足。脱持归者，便遇大蛇，或颠仆失径。家人啖之辄病。

五 色 浮 石

阳羡县小吏吴龛于溪中见五色浮石，因取内床头。至夜，化成女子。

柑 化 鸢

河内司马元胤，元嘉中为新釜令。丧官，月旦设祭。柑化而为鸢。

竹 生 花

晋惠帝元康二年，巴西郡界竹生花，紫色。结实如麦，外皮青，中赤白，味甚甘。

枣 生 桃 李

晋太元中，南郡忻—作州字。陵县有枣树。一年忽生桃、李、枣三种花子。

桑 再 椹

汉兴平元年九月，桑再椹。时刘玄德军于沛，年荒谷贵，士众皆饥，仰以为粮。

白　桑　椹

北方有白桑椹，长数寸，食之甘美。

竹　节　中　人

建安有笡笃竹，节中有人，长尺许，头足皆具。

连　理　竹

元嘉四年，东阳流一作留。道先家中筋竹林忽生连理。野人无知，谓之祸祟，欲斫杀之。

嘉　瓜

汉安帝元初三年，平陆有瓜，异处同蒂，共生一瓜，时以为嘉瓜。

一　瓜　三　茎

晋武帝太康八年六月，王濬园生瓜，三茎一实。

越　王　菜

晋安平有越王余算菜长尺许。白者似骨，黑者如角。古云越王行海，曾于舟中作筹算。有余者，弃之于水，生焉。

土　藷

薯蓣一名山芋。根既可入药，又复可食。野人谓之土藷。若欲掘取,默然则获;唱名者便不可得。人有植者,随所积之物而像之也。

土　精

人参一名土精,生上党者佳,人形皆具,能作儿啼。昔有人掘之,始下铧,便闻土中呻吟声。寻音而取,果得人参。

交　州　菌

交州诸菌以叶涂人躯,便举体菌生,生既遍,就朽烂,肌肉消腐。

神　农　窟

隋县永阳—多县字。有山,壁立千仞。岩上有石室,古名为神农窟。窟前有百药丛茂,莫不毕备。又别有异物,藤花形似菱菜,朝紫、中绿、晡黄、暮青、夜赤,五色迭耀。

卷三

鹤　语

晋太康二年冬大寒。南洲人见二白鹤语于桥下,曰:"今兹寒,不减尧崩年也。"于是飞去。

鸾　鸣

罽宾国王买得一鸾,欲其鸣不可致。饰金繁,飨珍羞,对之愈戚。三年不鸣。夫人曰:"尝闻鸾见类则鸣,何不悬镜照之?"王从其言,鸾睹影悲鸣,冲霄一奋而绝。

鹦鹉说梦

张华有白鹦鹉。华每出行还,辄说僮仆善恶。后寂无言。华问其故,答曰:"见藏瓮中,何由得知?"公后在外,令唤鹦鹉。鹦鹉曰:"昨夜梦恶,不宜出户。"公犹强之,至庭,为鹞所搏;教其啄鹞脚,仅而获免。

鹦鹉灭火

有鹦鹉飞集他山,山中禽兽辄相贵重。鹦鹉自念虽乐,不可久也,便去。后数月,山中大火。鹦鹉遥见,便入水濡羽,飞而洒之。天神言:"汝虽有志意,何足云也?"对曰:"虽知不能救,然尝侨居是山,禽兽行善,皆为兄弟,不忍见耳。"天神嘉感,即为灭火。

鸲鹆学语

五月五日翦鸲鹆舌,教令学人语,声尤清越,虽鹦鹉不能过也。

鸲鹆听琵琶

晋司空桓豁在荆州,有参军五月五日翦鸲鹆舌,每教令学人语,遂无所不名,与人相顾问。参军善弹琵琶,鸲鹆每听辄移时。

山鸡舞镜

山鸡爱其毛羽,映水则舞。魏武时,南方献之。帝欲其鸣舞而无由。公子苍舒令置大镜其前,鸡鉴形而舞不知止,遂乏死。韦仲将为之赋其事。其事一作甚美。

群乌咋犬

晋义熙三年,朱猗戍寿阳。婢炊饭,忽有群乌集灶,竞来啄啖,驱逐不去。有猎犬咋杀两乌,余乌因共咋杀犬,又啖其肉,唯余骨存。

杜鹃催鸣

杜鹃始阳相催而鸣,先鸣者吐血死。常有人山行,见一群寂然,聊学其声,便呕血死。初鸣先听其声者主离别,厕上听其声不祥。厌之法:当为大声以应之。

鸡作人语

晋兖州刺史沛国宋处宗,尝买得一长鸣鸡,爱养甚至,恒笼置窗间。鸡遂作人语，与处宗谈论，极有言致，终日不辍。处宗由此玄言大进。

金 色 鹅

晋义熙中，羌主姚毗于洛阳阴沟取砖，得一双雄鹅，并金色交颈长鸣，声闻于九皋，养之此沟。

鹅 引 导

傅承为江夏守，有一双鹅，失之三年，忽引导得三十余头来向承家。

虎 标

武陵龙阳虞德流寓溢阳，止主人夏蛮舍中。忽见有白纸一幅长尺余，标蛮女头，乃起扳取。俄顷，有虎到户而退，寻见何老母标如初。德又取之，如斯三返，乃具以语蛮。于是相与执杖伺候。须臾虎至，即格杀之。同县黄期具说如此。

虎 攫 府 佐

彭城刘广雅，以晋太元元年为京府佐，被使还都，路经竹里亭于逻宿。此逻多虎，刘极自防卫，系马于户前，手执戟，布于地上。中宵，与士庶同睡。虎乘间跳入，跨越人畜，独取刘而去。

美 女 变 虎

晋太元末，徐桓以太元中出门，仿佛见一女子，因言曲相调，便要桓入草中。桓悦其色，乃随去。女子忽然变成虎，负桓著背上，径向

深山。其家左右寻觅，惟见虎迹。旬日，虎送桓下著门外。_{太元中三字误。}

畜 虎 理 讼

扶南王范寻常畜虎五六头及鳄鱼十头。若有讼，未知曲直，便投与鱼、虎。鱼、虎不食，则为有理。秽貊之人，祭虎为神，将有以也。

醉 共 虎 眠

永初中，邵都梁冯恭醉卧于山路。夜有虎来，以头枕其背。恭中宵展转，以手搏之，复大寝。向晓始醒，犹见虎蹲在脚后，若有宿命，非智力所及也。

熊 穴 辟 秽

熊兽藏于山穴，穴里不得见秽及伤残，见则舍穴外死。人欲捕者，便令一人卧其藏内，余伴执杖，隐在崖侧。熊辄共舆出，人不致伤损，傍人仍得骋其矛。

熊 呼 字

熊无穴，或居大树孔中。东土呼熊为"子路"，以物击树云："子路可起。"于是便下。不呼则不动也。

刘 幡 射 獐

元嘉初，青州刘幡射得一獐，剖腹藏，以草塞之，蹶然起走。幡从而拔塞，须臾复还倒，如此三焉。幡密求此种类，治伤痍多愈。

大　　客

始兴郡阳山县有人行田，忽遇一象，以鼻卷之。遥入深山，见一象脚有巨刺。此人牵挽得出，病者即起，相与蹋陆，状若欢喜。前象复载人，就一污湿地，以鼻掘出数条长牙，送还本处。彼境田稼，常为象所困，其象俗呼为"大客"。因语云："我田稼在此，恒为大客所犯，若念我者，勿复见侵。"便见踯躅，如有驯解。于是一家业田，绝无其患。

货 牛 淹 泪

晋义熙十三年，余为长沙景王骠骑参军，在西州得一黄牛，时将货之，便昼夜衔草不食，淹泪瘦瘠。

马 度 苻 坚

苻坚为慕容冲所袭，坚驰骍马，堕而落涧。追兵几及，计无由出。马即踟蹰临涧，垂鞍与坚。坚不能及，马又跪而受焉。坚援之得登岸，而一作西。走庐江。

犬　　殉

晋隆安初，东海何澹之屡入关中。后还，得一犬，壮大非常。每出入，辄已知处。澹之后抱疾，犬亦疾，寻及于亡。

狡　　兔

楚王与群臣猎于云梦，纵良犬逐狡兔，三日而获之。其肠似铁，良工曰："可以为剑。"

鼠　王　国

西域有鼠王国。鼠之大者如狗，中者如兔，小者如常。大鼠头悉已白，然带金环枷。商估有经过其国不先祈祀者，则啮人衣裳也。得沙门咒愿，更获无他。释道安昔至西方，亲见如此。俗谚云："鼠得死人目睛则为王。"

拱　鼠

拱鼠形如常鼠，行田野中。见人即拱手而立；人近欲捕之，跳跃而去。秦川有之。

义　鼠

义鼠形如鼠，短尾。每行递相咬尾，三五为群，惊之则散。俗云见之者当有吉兆。成都有之。

唐　鼠

唐鼠形如鼠，稍长，青黑色，腹边有余物如肠，时亦污落。亦名易肠鼠。昔仙人唐昉拔宅升天，鸡犬皆去。唯鼠坠下不死，而肠出数寸，三年易之。俗呼为"唐鼠"。城固川中有之。

囊　珠　报　德

前废帝景和中，东阳大水。永康蔡喜夫避住南陇。夜有大鼠，形如独子，浮水而来，径伏喜夫奴床角。奴愍而不犯。每食，辄以余饭与之。水势既退，喜夫得返故居。鼠以前脚捧青囊，囊有三寸许珠，留置奴床前，啾啾状如欲语。从此去来不绝。亦能隐形，又知人祸福。后同县吕庆祖牵狗野猎暂过，遂啮杀之。

刀 子 换 貂 皮

貂出句丽国，常有一物共居穴。或见之，形貌类人，长三尺，能制貂，爱乐刀子。其俗：人欲得貂皮，以刀投穴口。此物夜出穴，置皮刀边，须人持皮去，乃敢取刀。

蒋　山　精附《抱朴子》

吴孙皓时，临海得毛人。《山海经》云：山精如人而有毛，此蒋山精也。故《抱朴子》曰：山之精，形如小儿而独足。足向后，喜来犯人。其名曰蚑。知而呼之，即当自却耳。一名曰超空。可兼呼之。又或如鼓，赤色，一足，其名曰浑。又或如人，长九尺，衣裘戴笠，名曰金累。又或如龙，有五色赤角，名曰飞龙。见之皆可呼其名，不敢为害。《玄中记》：山精如人，一足，长三四尺，食山蟹，夜出昼藏。

龙　　鲊

陆机尝饷张华鲊，于时宾客满座。华发器，便曰："此龙肉也。"众未之信。华曰："试以苦酒濯之，必有异。"既而五色光起。机还问鲊主，果云："园中茅积下得一鱼，质状非常，乃以作鲊，过美。故以相献。"

宅 龙 致 富

张永家地有泉出，小龙在焉。从此遂为富室。逾年，因雨腾跃而去。于是生资日不暇给。俗说云："与龙共居，不知神龙效矣。"

西 寺 异 物

晋太元中，东阳西寺七佛屋甃下有一物出，头如鹿。有法献道人，迫而观之。于是吐沫喷洒，气若云雾。至元嘉十四年四月七日，此头复出。寻觅其处，亦无孔穴。年年有声，殷若小雷。

土 龙

晋义熙中，江陵赵姥以酤酒为业。居室内土，忽自隆起。姥察为异，朝夕以酒酹之。尝有一物出，头似驴，而地初无孔穴。及姥死，邻人闻土下有声如哭。后人掘地，见一异物，蠢蠢而动，不测大小，须臾失之。俗谓之土龙。

槎 变 龙

赵牙行船于阖庐，见水际有大槎，人牵不动。牙往举得之，以著船。船破，槎变为龙，浮水而去。

射 蛟 暴 死

永阳人李增行经大溪，见二蛟浮于水上。发矢射之，一蛟中焉。一作死。增归，因复出。市有女子素服衔泪，持所射箭。增怪而问焉，女答曰："何用问焉？为暴若是。"便以相还，授矢而灭。增恶而骤走，未达家，暴死于路。

邓 遐 治 蛟

荆州上明浦沔水隈，潭极深。常有蛟杀人，浴汲死者不脱岁。升平中，陈郡邓遐字应遥，为襄阳太守。素勇健，愤而入水觅蛟，得之。

便举拳曳著岸，欲斫杀。母语云："蛟是神物，宁忍杀之？今可咒令勿复为患。"遐咒而放焉。自兹迄今，遂无此患。一云：遐拔剑入水，蛟绕其足。遐自挥剑，截蛟数段，流血水丹，勇冠当时。于后遂无蛟患。

蒙 山 大 蛇

鲁国中牟县蒙山上，有寺废久。民欲架屋者，辄大蛇数十丈出来惊人。故莫得安焉。

饷 田 异 报

新野苏卷一作巷。与妇佃于野舍，每至饭时，辄有一物来，其形似蛇，长七尺五寸，色甚光采。卷异而饷之。遂经数载，产业加厚。妇后密打杀，即得能食病。日进三斛饭，犹不为饱，少时而死。

蛇 化 雉

晋中朝武库内，封闭甚密。忽有雉雏，时人咸谓为怪。张司空云："此必蛇之所化耳。"即使搜库中，雉侧果得蛇蜕。

蛇 应 雉 媒

司马轨之字道援，善射雉。太元中，将媒下罶。此媒屡雏，野雉亦应。试令寻觅所应者，头翅已成雉，半身故是蛇。

竹 中 蛇 雉

晋太元中，汝南人入山伐竹。见一竹中，蛇形已成，上枝叶如故。又吴郡桐庐人，常伐余一作除字。遗竹，见一竹竿，雉头颈尽就，身犹未变。此亦竹为蛇、蛇为雉也。

钟忠畜蛇

丹阳钟忠，以元嘉冬月晨行，见有一蛇长二尺许，文色似青琉璃，头有双角，白如玉，感而畜之。于是资业日登。经年，蛇自亡去。忠及二子相继殒毙。此蛇来吉去凶，其唯龙乎？

蛇衔草

昔有田父耕地，值见伤蛇在焉。有一蛇，衔草著疮上。经日，伤蛇走。田父取其草余叶以治疮，皆验。本不知草名，因以"蛇衔"为名。《抱朴子》云"蛇衔，能续已断之指如故"，是也。

蛇公

海曲有物名蛇公，形如覆莲花，正白。

诸葛博识

吴孙权时，永康县有人入山，遇一大龟，即束之以归。龟便言曰："游不量时，为君所得。"人甚怪之，担出欲上吴王。夜泊越里，缆舟于大桑树。宵中，树忽呼龟曰："劳乎元绪，奚事尔耶？"龟曰："我被拘系，方见烹臞。虽然，尽南山之樵，不能溃我。"树曰："诸葛元逊博识，必致相苦。令求如我之徒，计从安得？"龟曰："子明无多辞。祸将及尔。"树寂而止。既至建业，权命煮之。焚柴万车，语犹如故。诸葛恪曰："燃以老桑树，乃熟。"献者乃说龟树共言。权使人伐桑树煮之，龟乃立烂。今烹龟犹多用桑薪。野人故呼龟为"元绪"。

叩龟得路

元嘉初,益州刺史遣三人入山伐樵,路迷。或见一龟,大如车轮,四足各摄一小龟而行。又有百余黄龟从其后。三人叩头,请示出路。龟乃伸头,若有意焉。因共随逐,即得出路。一人无故取小龟,割以为脯。食之,须臾暴死,惟不啖者无恙。

鲄鱼

鲄鱼:凡诸鱼欲产,鲄辄以头冲其腹。鲄鱼自欲生者,亦更相撞触。故世人谓为众鱼之生母也。

死人发变鳝

晋义熙五年,卢循自广州下,泊船江西,众多疫死。事平之后,人往蔡州,见死人发变而为鳝。今上镇西参军与司马张逝瞻河际,有一棺棺头有鳝。众试令拨看,都是发,亦有未即化者。一说云:生以秋沈沐,死则发变为鳝。又昔有人食不能无鳝,死后改棺,鲴满棺中。鲴即鳝也。

煮肉变虾蟆

司马休遣文武千余人迎家人,达南郡。值风泊船,上岸伐薪。见聚肉有数百斤,乃割取还,以镬煮之。汤欲热,皆变成数千虾蟆。

蝶变鳖

蝴蝶变作鳖。

鹦 鹉 螺

鹦鹉螺形似鸟，故以为名。常脱壳而游，朝出则有虫类如蜘蛛，入其壳中。螺夕还，则此虫出。庾阐所谓"鹦鹉内游，寄居负壳"者也。

苍 蝇 传 诏

晋明帝尝欲肆眚，闭而不谋，乃屏曲室，去左右，下帷草诏。有大苍蝇触帐而入，萃于笔端，须臾亡去。帝窃异焉。令人寻看，即蝇所集处，辄传有诏，喧然已遍矣。

叩 头 虫

有小虫形色如大豆，咒令叩头，又咒令吐血，皆从所教。如似请放，稽颡辄七十而有声。故俗呼为叩头虫也。

缢 女

缢女，虫也。一名蜆，长寸许，头赤身黑，恒吐丝自悬。昔齐东郭姜既乱崔杼之室，庆封杀其三子，姜亦自经。俗传此妇骸化为虫，故以"缢女"名虫。

卷四

火　井

蜀郡临邛县有火井。汉室之隆,则炎赫弥炽。暨桓灵之际,火势渐微。诸葛亮一瞰而更盛。至景曜元年,人以烛投即灭。其年蜀并于魏。

数 世 天 子

孙钟,富春人,坚父也。与母居,至孝笃性。种瓜为业。忽有三年少,容服妍丽,诣钟乞瓜。钟为设食出瓜,礼敬殷勤。三人临去曰:"我等司命郎。感君接见之厚,欲连世封侯? 欲数世天子?"钟曰:"数世天子,故当所乐。"因为钟定墓地,出门悉化成白鹄。一云:孙坚丧父,行葬地。忽有一人曰:"君欲百世诸侯乎? 欲四世帝乎?"笑曰:"欲帝。"此人因指一处,喜悦而没。坚异而从之。时富春有沙涨暴出,及坚为监丞,邻党相送于上。父老谓曰:"此沙狭而长,子后将为长沙矣。"果起义兵于长沙。

邺 宫 刻 字

泰山高堂隆字升平,尝刻邺宫屋材一作柱。云:"后若干年,当有天子居此宫。"及晋惠帝幸邺宫,治屋者土剥更泥,始见刻字,计年正合。
一云及晋惠帝幸邺,年历当矣。

梦 日 环 城

王敦既为逆,顿军姑孰。晋明帝躬往觇之。敦时昼寝,梦日环其城，乃卓然惊寤，曰："营中有黄头鲜卑奴来，何不缚取？"帝所生母荀氏，燕国人，故貌类焉。

黄 气 钟 灵

晋简文既废世子道生，次子郁又早卒而未有息。濮阳令在帝前，祷至三更。忽有黄气自西南来，逆室前。尔夜，幸李太后，而生孝武皇帝。

管涔王献剑

刘曜隐居管涔之山。夜中，忽有一童子入跪曰："管涔王使小臣奉谒赵皇帝。"献剑一口置前，再拜而去。以烛视之，剑长二尺，光泽非常，赤玉为饰，背有铭云："神剑服御除众毒。"

襄 国 谶

石勒为郭敬客，时襄国有谶曰："力在左，革在右。让无言，或入口。""让"去"言"为"襄"字，"或"入"口"乃"国"字也。勒后遂都襄国。

灵 昌 津

石勒伐刘曜于洛阳，从大河南济。时河冻将合，军至而冰自泮。舟楫无阂，遂生擒曜。谓是神灵之助，命曰"灵昌津"。

长 安 谣

晋时长安谣曰："秦川城中血没踠，惟有凉州倚柱看。"及惠、愍之间，关内歼破，浮血飘舟。张轨拥众一方，威恩共著。

天　麦

凉州张骏，字公彦。九年，天雨五谷于武威、燉煌。植之悉生。因名"天麦"。

神自称玄冥

凉州张祚伪和平中，有神见于玄武殿，自称玄冥，与人言语。祚日夜祈之，神言与之福利，祚甚信之。

枭鸣牙中

凉州张重华遣谢艾伐麻狄，引师出振武。夜有二枭鸣于牙中。艾曰："枭者，邀也。六博得枭者胜。今枭鸣牙中，克敌之兆。"果大破之。

刘季奴

宋武帝裕，字德舆，小字寄奴。微时，伐荻新洲，见大蛇长数丈，射之，伤。明日复至洲里，闻有杵臼声。往视之，见童子数人，皆青衣捣药。问其故，答曰："我王为刘寄奴所射，合散傅之。"帝曰："王神何不杀之？"答曰："刘寄奴王者，不死不可杀。"帝叱之，皆散，仍收药而返。

女　水

临淄牛山下有女水。齐人谚曰："世治则女水流，世乱则女水竭。"慕容超时，干涸弥载。及天兵薄伐，一作北征。乃激洪流。

小 儿 輂 沙

秦世有谣曰："秦始皇，何僵梁。开吾户，据吾床。饮吾酒，唾吾浆。飧吾饭，以为粮。张吾弓，射东墙。前至沙邱当灭亡。"始皇既坑儒焚典，乃发孔子墓，欲取诸经传。圹既启，于是悉如谣者之言。又言谣文刊在冢壁，政甚恶之。乃远沙邱而循别路，见一群小儿，輂沙为阜。问云"沙邱"，从此得病。

晋 宣 帝 庙

晋武帝太康五年五月，宣帝庙地陷裂，梁无故自折。凡宗庙所以承祖先嗣，永世不刊。安居摧陷，是煌绝之祥也。

海 凫 毛

晋惠帝时，人有得一鸟毛，长三丈，以示张华。华惨然叹曰："所谓海凫毛也。此毛出，则天下土崩矣。"果如其言。

衣 中 火 光

晋惠帝永康元年，帝纳皇后羊氏。后将入宫，衣中忽有火光。众咸怪之。自后蕃臣构兵，洛阳失御，后为刘曜所嫔。

玉 马 缺 口 齿

晋永嘉元年，车骑大将军东瀛王司马腾字元迈，自并州迁镇邺。行次真定，时久积雪，而当其门前方十数步，独液不积。腾怪而掘之，得玉马高尺许，口齿皆缺。腾以为马者国姓，称吉祥焉。或谓马无齿，则不得食。未几，晋遂大乱。腾后为汲桑所杀。

洛 城 二 鹅

董养字仲道,陈留浚仪人。泰始初,到洛下,不干禄求荣。永嘉中,洛城东北角步广里中地陷,有二鹅出焉。其苍者飞去,白者不能飞。奉闻叹曰:"昔周时所盟会狄泉,即此地也。今有二鹅,苍者胡象,后胡当入洛。白者不能飞,此国讳也。"

巾 箱 中 鼓 角

晋孝武太元末,帝每闻手巾箱中有鼓吹鼙角之音。于是请僧斋会。夜见一臂长三丈许,手长数尺,来摸经案。是岁帝崩,天下大乱。晋室自此而衰。

卢 修 叛 谶

晋孝武太元末,有谶曰:"修起会稽。"其后,卢修果从会稽叛。

义 熙 火 灾

晋义熙十一年,京都火灾大行。吴界尤甚,火防甚峻,犹自不绝。时王宏守吴郡,昼坐厅视事。忽见天上有一赤物下,状如信幡,遥集南人家屋上。须臾,火遂大发。宏知天为之灾,故不罪始火之家。识者知晋室微弱之象也。

孙 恩 乱 兆

隆安初,吴郡治下狗常夜吠,聚皋桥上。人家狗有限而吠声甚众;或有夜觇视之,见一狗有两三头者,皆前向乱吠。无几,有孙恩之乱。

藏驱凶兆

晋海西公时，有贵人会，因藏驱。欻有一手，间在众臂之中，修骨巨指，毛色粗黑，举坐咸惊。寻为桓大司马所杀。旧传"藏驱令人生离"，斯验深矣。

苻秦亡征

苻坚建元十二年，高陵县民穿井，得大龟三尺六寸，背文负八卦古字。坚命作石池养之，食以粟。后死，藏其骨于太庙。其夜，庙丞高房梦龟谓之曰："我本出，将归江南，遭时不遇，陨命秦庭。"即有人梦中谓房曰："龟三千六百岁而终，终必妖兴。亡国之征也。"未几，为谢玄破于淮淝，自缢新城浮图中。

慕容死猎

慕容皝出畋，见一老父曰："此非猎所，王宜还也。"皝明晨复去，值有白兔，驰马射之，坠石而卒。

西秦将亡

西秦乞伏炽磐都长安。端门外有一井，人常宿汲水亭之下，而夜闻磕磕有声，惊起照视，瓮中如血，中有丹鱼，长可三寸而有寸光。时东羌、西虏，共相攻伐，国寻灭亡。

霹雳题背

佛佛虏—作乞佛虏。凶虐暴恶，常自言国名"佛佛"，则是佛中之佛。寻被震死，既葬，而复就冢中霹雳其枢，引身出外，题背四字表其凶逆而然也。国少时为涉去所袭。元嘉十九年，京口霹雳杀人，亦自题背。

人像无头

凉州张寔，字安逊。夜寝，忽见屋梁间有人像，无头，久而乃灭。寔甚恶之，寻为左右所害。

卢龙将乱

卢龙将寇乱，京师谣言曰："十丈瓦屋，芦作柱，蘸作栏。"未几而败。

元嘉末妖孽

文帝元嘉末，长广人病差，便能食而不得卧。一饭辄觉身长。如此数日，头遂出屋。段究为刺史，度之为三丈，复还渐缩如旧。经日而亡。俄而，文帝为元凶所害。

德 星 聚

陈仲弓从诸子侄，造荀季和父子。于时德星聚，太史奏："五百里内有贤人聚。"

血 迹 公 字

陶侃左手有文，直达中指上横节便止。有相者师圭谓侃曰："君左手中指有竖理，若彻于上，位在无极。"侃以针挑令彻，血流弹壁，乃作"公"字。又取纸裹，"公"迹愈明。

桓 灵 宝

桓玄生而有光照室。善占者云："此儿生有奇曜，宜目为天人。"宣武嫌其三文复言为"神灵宝"，犹复用三，既难重前，却减"神"一字，名曰"灵宝"。灵宝，玄小字也。

魏 肇 之

任城魏肇之初生，有雀飞入其手。占者以为封爵之祥。

刘 道 人

东莞刘穆之，字道和，小字道人。世居京口。隆安中，凤凰集其庭。相人韦薮谓之曰："子必协赞大猷。"

埋 钱 免 灾

徐羡之年少时，尝有一人来，谓曰："我是汝祖。"羡之拜。此人曰："汝有贵相，而有大厄。宜以钱二十八文，埋宅四角，可以免灾。过此，位极人臣。"后羡之随亲之县，住在县内。尝暂出而贼自后破县。县内人无免者，鸡犬亦尽。惟羡之在外获全。

刺 史 预 兆

晋陵韦朗家在延陵。元嘉初，忽见庭前井中有人出，齐长尺余，被带组甲，麾伍相应，相随出门，良久乃尽。朗兄薮颇善占筮，尝云："吾子当至刺史。"后朗历刺青、广二州。

贾谧伏诛

晋贾谧字长渊,充子也。元康九年六月夜,暴雷震谧斋屋。柱陷入地,压毁床帐。飘风吹其朝服上天数百丈,久之,乃坠于中丞台。又蛇出其被中,谧甚恐。明年伏诛。

刘氏狗妖

晋孝武太元元年,刘波字道则,移居京口。昼寝,闻屏风外悒咤声。开屏风,见一狗蹲地而语,语毕自去。波隗孙也。后为前将军,败,见杀。

人头窥户

晋太始中,豫州刺史彭城刘德愿镇寿阳。住内屋,闭户未合,辄有人头进门扉窥看户内,是丈夫露髻团面。内人惊告,把火搜觅,了不见人。刘明年竟被诛。

北伐败征

河南褚裒字季野,将北伐。军士忽同时唱言:“可各持两楯。”复相谓曰:“一人焉用两楯为?”及败北,抛戈弃甲,两手各持一楯,蒙首而奔。

照镜无面

晋安帝义熙三年,殷仲文为东阳太守。尝照镜,不见其面。俄而难及。

盼 刀 相

元帝永昌元年，丹阳甘卓将袭王敦，既而中止。及还家，多变怪：自照镜，不见其头。乃视庭树，而头在树上。心甚恶之。先时，历阳陈训私谓所亲曰："甘侯头低而视仰，相法名为'盼刀'。又目有赤脉，自外而入。不出十年，必以兵死。不领兵，则可以免。"至是，果为敦所袭。

安 石 薨 兆

东晋谢安字安石，于后府接宾。妇刘氏见狗衔谢头来，久之，乃失所在。妇具说之，谢容色无易。是月而薨。

青 衣 女 子

晋阮明泊舟西浦，见一青衣女子，弯弓射之。女即轩云而去。明寻被害。

王 缓 伏 诛

义熙中，王愉字茂和，在庭中行。帽忽自落，仍乘空如人所著。及愉母丧，月朝上祭。酒器在几上，须臾下地，复还登床。寻而第三儿缓怀贰伏诛。

鼠 孽 兆 亡

晋隆安中，高惠清为太傅主簿。忽一日，有群鼠更相衔尾，自屋梁相连至地。清寻得暗疾，数日而亡。

桓 振 将 灭

晋桓振在淮南,夜闻人登床声。振听之,隐然有声。求火看之,见大聚血。俄为义师所灭。桓振,玄从父之弟也。

刘 毅 作 逆

义熙中,刘毅镇江州,为卢循所败,惆悚逾剧。及徙荆州,益复快快。尝伸纸作书,约部将王亮储兵作逆。忽风展纸,不得书。毅仰天大诟。风遂吹纸入空。须臾碎裂,如飞雪纷下。未几,高祖南讨,毅败擒斩。

傅 亮 被 诛

永初中,北地傅亮为护军。兄子珍住府西斋。夜忽见北窗外树下有一物,面广三尺,眼横竖,状若方相。珍遑遽以被自蒙,久乃自灭。后亮被诛。

檀 道 济 凶 兆

元嘉中,高平檀道济镇浔阳。十二年,入朝,与家分别。顾瞻城阙,歔欷逾深。识者是知道济之不南旋也。故时人为其—作之字。歌曰:"生人作死别,荼毒当奈何?"济将发舟,所养孔雀来衔其衣,驱去复来,如此数焉。以十三年三月入伏诛。道济未下少时,有人施罟于柴桑江,收之得大船,孔凿若新,使匠作舴艋,勿加斫斧。工人误截两头。檀以为不祥,杀三巧手,欲以塞愆。匠违约加斫,凶兆先构矣。

扬 州 青

檀道济居清溪，第二儿夜忽见人来缚己，欲呼不得。至晓乃解，犹见绳痕在。此宅先是吴将步阐所居。谚云："扬州青，是鬼营。"清溪，青扬是也。自步及檀，皆被诛。

黑 龙 无 后 足

东海徐羡之，字宗文。尝行经山中，见黑龙长丈余，头有角，前两足皆具，无后足，曳尾而行。后文帝立，羡之竟以凶终。

借 头

太元中，王公妇女必缓鬓倾髻，以为盛饰。用发既多，不可恒戴。乃先于木及笼上装之，名曰"假髻"，或名"假头"。至于贫家不能自办，自号"无头"，就人借头。

炙 变 人 头

文帝元嘉四年，太原王徽之字伯猷，为交州刺史。在道，有客，命索酒炙。言未讫而炙至，徽之取自割，终不食，投地，大怒。少顷，顾视向炙，已变为徽之头矣。乃大惊愕，反属目睹其首在空中，挥霍而没。至州便殒。

刘 敬 宣 败

彭城刘敬宣，字万寿。尝夜与僚佐宴坐。空中有投一只芒履于座，坠敬宣食盘上，长三尺五寸，已经人著，耳鼻间并欲坏。顷之而败。

狗 作 人 言

安固李道豫,元嘉中,其家狗卧于当路,豫蹴之。狗曰:"汝即死,何以蹴我?"未几,豫死。

鸡 突 灶 火

卞伯玉作东阳郡,灶正炽火,有鸡遥从口入,良久乃冲突而出,毛羽不焦,鸣啄如故。伯玉寻病殒。

张 司 空 暴 疾

张仲舒为司空,在广陵城北。以元嘉十七年七月中,晨夕间辄见门侧有赤气赫然。后空中忽雨绛罗于其庭,广七八分,长五六寸,皆以笺纸系之。纸广长亦与罗等,纷纷甚驶。仲舒恶而焚之,犹自数生,府州多相传示。张经宿暴疾而死。

谢 临 川 被 诛

谢灵运以元嘉五年,忽见谢晦手提其头,来坐别床,血色淋漓,不可忍视。又所服豹皮裘,血淹满箧。及为临川郡,饭中欻有大虫。谢遂被诛。

赤 鬼

谢晦在荆州,见壁角间有一赤鬼,长可三尺,来至其前,手擎铜盘,满中是血。晦得,乃纸盘。须臾而没。阚

蜈　　蚣

元嘉五年秋夕，豫章胡充有大蜈蚣长三尺，落充妇与妹前。令婢挟掷，婢才出户，忽睹一姥衣服臭败，两目无精。到六年三月，合门时患，死亡相继。

魂　卧　曝　席

新野庾寔妻毛氏，尝于五月五日曝荐席。忽见其三岁女在席上卧，惊怛便灭。女真形在别床如故。不旬日而夭。世传仲夏忌移床。

卷五

梅　姑　庙

秦时丹阳县湖侧有梅—作麻。姑庙。姑生时有道术,能著履行水上。后负道法,婿怒杀之,投尸于水,乃随流波漂至今庙处铃下。巫人当令殡殓,不须坟瘗,即时有方头漆棺在祠堂下。晦朔之日,时见水雾中暧然有著履形。庙左右不得取鱼、射猎,辄有迷径没溺之患。巫云:姑既伤死,所以恶见残杀也。

宫　亭　湖　庙

宫亭湖庙神,甚有灵验。商旅经过,若有祷请,则一时能使湖中分风沿溯皆举帆,利涉无虞。

江　神　祠

秦时中宿县十里外有观亭江神祠坛,甚灵异。经过有不恪者,必狂走入山,变为虎。晋中朝有质子将归洛,反路见一行旅,寄其书云:"吾家在观亭,亭庙前石间有悬藤即是也。君至但扣藤,自有应者。"及归,如言。果有二人从水中出,取书而没。寻还云:"河伯欲见君。"此人亦不觉随去,便睹屋宇精丽,饮食鲜香,言语接对,无异世间。今俗咸言观亭有江伯神也。

竹　王　祠

汉武帝时,夜郎竹王神者,名兴。初,有女子浣于豚水,见三节大竹流入足间，推之不去。闻其中有号声，持破之，得一男儿。及长，有才武，遂雄夷獠氏。自立为夜郎侯，以竹为姓。所破之竹，弃之于野，即生成林。王尝从人止石上，命作羹。从者曰："无水。"王以剑击石，泉便涌出。今竹王水及破竹成林并存。后汉使唐蒙开牂牁郡，斩竹王首。夷獠咸诉，以竹王非血气所生，甚重之，求为立后。太守吴霸以闻帝，封三子为侯。死，配食父庙。今夜郎县有竹王三郎祠，是其神也。

徐 君 庙

吴郡桐庐有徐君庙，吴时所立。左右有为劫盗非法者，便如拘缚，终致讨执。东阳长山县吏李瑶，义熙中遭事在郡。妇出料理，过庙，请乞恩拔银钗为愿。未至富阳，有白鱼跳落妇前。剖腹，得所愿钗。夫事寻散。

伍 员 庙

晋永嘉中，吴相伍员庙。吴郡人叔父为台郎，在洛。值京都倾覆，归途阻塞。当济江，南风不得进。既投奏，即日得渡。

厕 神 后 帝

陶侃曾如厕，见数十人，悉持大印。有一人，朱衣、平上帻，自称"后帝"，云："以君长者，故来相报。三载勿言，富贵至极。"侃便起，旋失所在。有大印作"公"字，当其秽处。《杂五行书》曰："厕神，后帝也。"

海 山 使 者

侃家童千余人，尝得胡奴，不喜言，尝默坐。侃一日出郊，奴执鞭以随。胡僧见而惊礼云："此海山使者也。"侃异之。至夜,失奴所在。

丹 阳 袁 双

晋丹阳县有袁双庙,真第四子也。真为桓宣武所诛,便觉所在灵怪。太元中,形见于丹阳。求立庙,未既就功,大有虎灾。被害之家,辄梦双至,催功甚急。百姓立祠堂,于是猛暴用息。今道俗常以二月晦鼓舞祈祠。尔日,风雨忽至。元嘉五年,设奠讫,村人邱都于庙后见一物,人面鼍身,葛巾,七孔端正而有酒气。未知双之神为是物凭也。

青 溪 小 姑

青溪小姑庙,云是蒋侯第三妹。庙中有大榖扶疏,鸟尝产育其上。晋太元中,陈郡谢庆执弹乘马,缴杀数头,即觉体中栗然。至夜,梦一女子,衣裳楚楚,怒云："此鸟是我所养。何故见侵?"经日,谢卒。庆名奂,灵运父也。

仇 　 王

余杭县有仇王庙,由来多神异。晋隆安初,县人树伯道为吏,得假将归。于汝南湾觅载,见一朱舸,中有贵人,因求寄。须臾如睡。犹闻有声,若剧甚雨。俄而至家,以问船工,亦云仇王也。伯道拜谢而还。

圣 　 公

隆安中,吴兴有人年可二十,自号"圣公"。姓谢,死已百年。忽诣陈氏宅,言是己旧宅,可见还,不尔烧汝。一夕,火发荡尽。因有鸟毛插地,绕宅周匝数重。百姓乃起庙。

驱除大将军

晋义熙中，虞道施乘车出行。忽有一人，著乌衣，径来上车，云："令寄载十许里耳。"道施试视此人，头上有光，口目皆赤，面悉是毛，异于始时。既不敢遣，行十里中，如言而去。临别语道施曰："我是驱除大将军，感汝相容。"因赠银铎一双而灭。铎或作环。

命 囊 一 挺 炭

晋时信安郑徽—作微。年少时，登前桥，仿佛见一老翁，以一囊与徽云："此是君命，慎勿令零落。若有破碎，便为凶兆。"言讫，忽失所在。徽密开看，是一挺炭。意甚秘之，虽家人不之知也。后遭卢龙寇乱，恒保录之。至宋永初三年，徽年八十三，病笃，语子弟云："吾齿尽矣。可试启此囊。"见炭悉碎折，于是遂绝。

鬼 子 母

陈虞字君度，妇庐江杜氏，常事鬼子母，罗女乐以娱神。后一夕复会，弦管无声，歌者凄忾。杜氏尝梦鬼子母皇遽涕泗云："凶人将来。"婢先与外人通，以梯布垣，登之入。神被服将剥夺毕，加取影象，焚剉而后去。

紫 姑 神

世有紫姑神，古来相传云是人家妾，为大妇所嫉，—作妒。每以秽事相次役，正月十五日感激而死。故世人以其日作其形，夜于厕间或猪栏边迎之，祝曰："子胥不在"，是其婿名也。"曹姑亦归"，曹即其大妇也。"小姑可出戏。"捉者觉重，便是神来。奠设酒果，亦觉貌辉辉有色，即跳躞不住。能占众事，卜未来—作行年。蚕桑。又善射钩，好则大舞,恶便仰眠。平昌孟氏恒不信,躬试往捉,便自跃茅^{一作穿}。屋而去。永失所在也。

左 苍 右 黄

乌伤陈氏,有女未醮,著屐径上大枫树颠,了无危惧,顾曰:"我应为神,今便长去。惟左苍右黄,当暂归耳。"家人悉出见之,举手辞诀。于是飘耸轻越,极睇乃没。人不了苍黄之意,每春辄以苍狗、秋黄犬,设祀于树下。

杨 明 府

剡县西乡有杨郎庙。县有一人,先事之。后就祭酒侯褚求入大道,遇谯郡楼无陇诣褚,共至神舍,烧神座器服。无陇乞将一扇。经岁,无陇闻有乘马人呼"楼无陇"数四声,云:"汝故不还杨明府扇耶?"言毕,回骑而去。陇遂得瘘病死。

卞 山 项 庙

晋武太始初,萧惠明为吴兴太守。郡界有卞山,山下有项羽^{一作籍}庙。相传云:羽多居郡厅事,前后太守不敢上厅。惠明谓纲纪曰:"孔季恭曾为此郡,未闻有灾。"遂命盛设筵榻接宾。未几,惠明忽见一人长丈余,张弓挟矢向之。既而不见。因发背,旬日而殒。

张 舒 受 秘 术

元嘉九年二月二十四日,长山张舒奄见一人,著朱衣,平上帻,手提青柄马鞭,云:"如汝可教,便随我去。"见素丝绳系长梯来下,舒上梯,乃造大城。绮堂洞室,地如黄金。有一人长大,不巾帻,独坐绛纱帐中,语舒曰:"主者误取汝,赐汝秘术卜占,勿贪钱贿。"舒亦不觉受之。

钱祐受术数

元嘉四年五月三日，会稽余姚钱祐夜出屋后，为虎所取。十八日，乃自还。说虎初取之时，至一宫府，入重门，见一人凭几而坐，形貌伟壮，左右侍者三十余人，谓曰："吾欲使汝知术数之法，故令虎迎汝。汝无惧也。"留十五昼夜，语诸要术，尽教道之。方祐受法毕，便遣令还而不知道；即使人送出门，乃见归路。既得还家，大知卜占，无幽不验。经年乃卒。

十 二 棋 卜

十二棋卜，出自张文成，受法于黄石公。行师用兵，万不失一。逮至东方朔，密以占众事。自此以后，秘而不传。晋宁康初，襄城寺法味道人忽遇一老公，著黄皮衣，竹筒盛此书，以授法味。无何，失所在。遂复传流于世云。

太 山 府 君

历阳石秀之。倏有一人，著平巾裤褶，语之云："闻君巧侔班匠，刻几尤妙。太山府君相召。"秀之自陈云："刘政能造。"其人乃去。数旬而刘殒，石氏犹存。刘作几有名，遂以致毙。

鳣 父 庙

会稽石亭埭有大枫树，其中空朽。每雨，水辄满溢。有估客载生鳣至此，聊放一头于朽树中，以为狡狯。村民见之，以鱼鳣非树中之物，咸谓是神。乃依树起屋，宰牲祭祀，未尝虚日。因遂名"鳣父庙"。人有祈请及秽慢，则祸福立至。后估客返，见其如此，即取作臛。于是遂绝。

龙　载　船

吴猛还豫章，附载客船，一宿行千里。同行客视船下，有两龙载之，船不着水。

王　子　晋

陶侃字士行。微时，遭父艰。有人长九尺，端悦通刺，字不可识。心怪非常，出庭拜送。此人告侃曰："吾是王子晋。君有巨相，故来相看。"于是脱衣帢，服仙羽，升鹄而腾飏。

鸟　迹　书

晋太元末，湘东姚祖为郡吏。经衡山，望岩下有数年少，并执笔作书。祖谓是行侣休息，乃枉道过之。未至百许步，少年相与翻然飞飏，遗一纸书在坐处。前数句古时字，自后皆鸟迹。一作篆。

徐　公　遇　仙

东阳徐公，居在长山下。常登岭见二人坐于山崖对饮。公索之。二人乃与一小杯，公饮之遂醉。后常不食亦不饥。

撝　蒱　仙

昔有人乘马山行，遥望岫里有二老翁相对撝蒱。遂下马造焉，以策注地而观之。自谓俄顷，视其马鞭，摧然已烂。顾瞻其马，鞍骸枯朽。既还至家，无复亲属。一恸而绝。

梵　唱

陈思王曹植，字子建。尝登鱼山、临东阿，忽闻岩岫里有诵经声，清通深亮，远谷流响，肃然有灵气。不觉敛衿祗敬，便有终焉之志。即效而则之。今之梵唱，皆植依拟所造。一云陈思王游山，忽闻空里诵经声，清远遒亮。解音者则而写之，为神仙声。道士效之，作步虚声也。

慧　远　咒　龙

沙门释慧远栖神庐岳，常有游龙翔其前。远公有奴，以石掷中，乃腾跃上升。有顷，风云飙煜。公知是龙之所兴，登山烧香，会僧齐声唱偈。于是霹雳回向投龙之石，云雨乃除。

慧　炽　见　形

沙门竺慧炽，新野人，住江陵四层佛寺。永初二年卒。弟子为设七日会。其日将夕，烧香竟。沙门道贤因往视炽弟子，至房前，忽暧暧若人形，详视乃慧炽也。容貌衣服，不异生时。谓贤曰："君旦食肉，美否？"曰："美。"炽曰："我生不能断肉，今落饿鬼地狱。"道贤俱詟，未及得答。炽复言："汝若不信，试看我背后。"乃回背示贤，见三黄狗，形半似驴，眼甚赤，光照户内，状欲啮炽而复止。贤骇怖闷绝，良久乃苏。

灵　味

灵味寺在建康钟山蒋林里。永初三年，沙门法意起造。晋末有高逸沙门，莫显名迹，岩栖谷隐，常在钟山之阿。一夜，忽闻怪石崩坠，声振林薄。明旦履行，惟见清泉湛然。聚徒结宇，号曰："灵味。"

双　屦

武陵宗超之,奉经好道,宋元嘉中亡。将葬,犹未阖棺。其从兄简之来会葬,启盖视之,但见双屦在棺中云。

恶　戏　报

元嘉中,丹阳多宝寺画佛堂、作金刚。寺主奴婢恶,戏以刀刮其目眼。辄见一人甚壮,五色彩衣,持小刀挑目睛。数夜眼烂,于今永盲。

天　钵

汲郡卫士度,苦行居士也。其母尝诵经长斋,非道不行。家常饭僧。时日将中,母出斋堂,与诸尼僧逍遥眺望。忽见空中有一物下,正落母前,乃是天钵。中满香饭,举坐肃然,一时礼敬。母自分行斋,人食之皆七日不饥。此钵犹云尚存。士度以惠怀之际得道。

诵　经　停　刑

太原王玄谟,字彦德。始将见杀,梦人告曰:"诵观世音千遍则免。"玄谟梦中曰:"何可竟也。"仍见授。既觉诵之,且得千遍。明日将刑,诵之不辍。忽传唱停刑。

折　鸭　翅　报

释僧群清贫守节,蔬食持经,居罗江县之霍山。构立茅屋,孤在海中。上有石盂,水深六尺,常有清泉。古老相传是群仙所宅。群因绝粒。其庵舍去石盂隔一小涧,日夕往还。以木为梁,由之以汲水。

年至一百三十。忽见一折翅鸭,舒翼当梁头就嗛。群永不得过。欲举锡杖拨之,恐有转伤。因此回,遂绝水。经数日死。临死向人说,年少时曾折一鸭翅,验此以为现报。

卷六

王　陵

晋宣帝诛王陵,后寝疾。日见陵来逼。帝呼曰:"彦云缓我。"身上便有打处。贾逵亦为祟。少日遂薨。初,陵既被执,过贾逵庙。呼曰:"贾梁道,王陵——魏之忠臣。唯尔有神知之。"故逵助焉。

夏　侯　玄

晋夏侯玄,字太初。以当时才望,为司马景王所忌而杀之。宗族为之设祭,见玄来灵坐,上脱头,置其傍。悉取果食鱼肉之属,以内颈中,毕,还自安其头。既而言曰:"吾得诉于上帝矣。司马子元无嗣也。"寻有永嘉之乱。军还,世宗殂而无子。后有巫见帝涕泗云:"国家倾覆,正由曹爽、夏侯玄诉怨得伸故也。"爽以势族致诛,玄以时望被戮。

嵇　中　散

晋嵇中散常于夜中灯火下弹琴。有一人入室,初来时面甚小,斯须渐大,遂长丈余,颜色甚黑,单衣草带。嵇熟视良久,乃吹火灭曰:"耻与魑魅争光。"

土　瓦　中　人

晋邹湛,南阳人。初,湛常见一人,自称甄舒仲,余无所言。如此非一。久之乃悟曰:"吾宅西有积土败瓦,其中必有死人。甄舒仲者,予舍西土瓦中人也。"检之，果然。乃厚加殡殓毕。梦此人来谢。

山阳王辅嗣

晋清河陆机初入洛，次河南之偃师。时久结阴，望道左若有民居，因往投宿。见一年少，神姿端远，置《易》投壶。与机言论，妙得玄微。机心服其能，无以酬抗；乃提纬古今，总验名实，此年少不甚欣解。既晓便去，税骖逆旅，问逆旅妪。妪曰："此东数十里无村落，止有山阳王家冢尔。"机乃怪怅。还睇昨路，空野霾云，拱木蔽日。方知昨所遇者，信王弼也。一说陆云独行，逗宿故人家，夜暗迷路，莫知所从。忽望草中有火光，云时饥乏，因而诣前。至一家，墙院甚整，便寄宿。见一年少，可二十余，丰姿甚嘉，论叙平生，不异于人，寻共说《老子》，极有辞致。云出，临别语云："我是山阳王辅嗣。"云出门，回望向处，止是一冢。云始谓俄顷已经三日，乃大怪怅。

朱彦胆勇

晋永嘉中，朱彦居永宁。披荒入舍，便闻管弦之声及小儿啼呼之音。夜见一人，身甚壮大，呼杀其犬。彦素胆勇，不以为惧，即不移居，亦无后患。

鬼唱佳声

晋永嘉中，李谦素善琵琶。元嘉初，往广州。夜集坐倦悉寝，惟谦独挥弹未辍。便闻窗外有唱佳声，每至契会，无不击节。谦怪语曰："何不进耶？"对曰："遗生已久，无宜干突。"始悟是鬼。

麻子轩

刘聪建元三年，并州祭酒桓回于途遇一老父，问之云："昔乐工成凭,今居何职? 我与其人有旧,为致清谈,得察孝廉。君若相见,令知消息。"回问姓字,曰:"我吴郡麻子轩也。"言毕而失。回见凭,具宣其意。凭叹曰:"昔有此人,计去世近五十年。"中郎荀彦舒闻之,为造祝文,令凭设酒饭,祀于通衢之下。

形 见 慰 母

晋太元中,桓轨为巴东太守,留家江陵。妻乳母姓陈,儿道生,随轨之郡,坠濑死。道生形见云:"今获在河伯左右,蒙假二十日,得暂还。"母哀至,辄有一黑乌,以翅掩其口。舌上遂生一瘤,从此便不得复哭。

荀 泽 见 形

晋颍川荀泽,以太元中亡,恒形见。还与妇鲁国孔氏嬿婉绸缪,遂有妊焉。十月而产,产悉是水,别房作酱。泽曰:"汝知丧家不当作酱而故为之。今上官责我数豆,致劬不复堪。"经少时而绝。

亡 妇 免 夫

晋时会稽严猛妇出采薪,为虎所害。后一年,猛行至蒿中,忽见妇云:"君今日行,必遭不善。我当相免也。"既而俱前。忽逢一虎,跳踉向猛。猛妇举手指执,状如遮护。须臾,有一胡人荷戟而过。妇因指之,虎即击胡。婿乃得免。

庾 绍 之 见 形

晋新野庾绍之,字道遽。与南阳宋协中表之亲,情好绸缪。桓玄时,庾为湘东太守,病亡。义熙中,忽见形诣协。一小儿通云:"庾湘东来。"须臾便至,两脚著械。既至,脱械置地而坐。协问:"何由得顾?"答云:"暂蒙假归,与卿亲好,故相过耳。"协问鬼神之事,绍辄漫略,不甚谐对。具问亲戚,因谈世事。末复求酒,协时时饵茱萸酒,因为设之。酒至,执杯还置,云:"有茱萸气。"协曰:"卿恶之耶?"绍云:"上官皆畏之,非独我也!"绍为人语声高壮,此言论时不异恒日。有顷,协儿邃之来。绍闻屐声,极有惧色。乃谓协曰:"生气见陵,不复得住。与卿三年别耳。"因贯械而起,出户便灭。协后为正员郎,果三年而卒。

山 阴 徐 琦

晋义熙三年,山阴徐琦每出门,见一女子,貌极艳丽。琦便解银铃赠之。女曰:"感君佳贶。"以青铜镜与琦,便结为伉俪。

葛 辉 夫 妖 死

晋义熙中,乌伤葛辉夫在女家。宿至三更,竟有两人把火至阶前,疑是凶人,往打之。欲下杖,悉变为蝴蝶,缤纷飞散。忽有一物冲辉夫腋下,便倒地,少时死。

团 扇 梦 别

义熙中,高平檀茂崇丧亡。其母沛郡刘氏昼眠,梦见崇手执团扇云:"崇年命未尽,横被灾厉,上永违离。今以此扇奉别。"母流涕惊觉。果于屏风间得扇,上皆如蜘蛛网络。抚执悲恸。

朱 衣 吏 滥 取

义熙中,长山唐邦闻扣门声,出视,见两朱衣吏云:"官欲得汝。"遂将至县东岗殷安冢中。冢中有人语吏云:"本取唐福,何以滥取唐邦?"敕鞭之,遣将出。唐福少时而死。

鬼 歌 子 夜

晋孝武太元中,琅玡王轲之家有鬼歌子夜。殷允为章郡,侨人庾僧度家,亦有鬼歌子夜。

许 氏 鬼 祟

晋太元中,吴兴许一作沈。寂之,忽有鬼于空中语笑,或歌或哭,至夜偏盛。寂之有灵车,鬼共牵走,车为坏。寂之有长刀,乃以摄置瓮中,有大镜,亦摄以纳器中。

床 下 老 公

晋元兴中,东阳太守朱牙之。忽有一老公,从其妾董床下出,著黄裳衲帽。所出之坎甚滑泽,有泉。遂与董交好。若有吉凶,遂以告。牙之儿疾疟,公曰:"此应得虎卵服之。"持戟向山,果得虎阴,尚余暖气。使儿炙啖,疟即断绝。公常使董梳头,发如野猪毛。牙之后诣祭酒上章,于是绝迹。乃作沸汤,试浇此坎。掘得数斛大蚁。不日,村人捉大刀野行,逢一丈夫,见刀,操黄金一饼,求以易刀。及授刀,奄失其人所在。重察向金,乃是牛粪。计此,乃牙之家鬼。

秦 树 冥 缘

沛郡人秦树者,家在曲阿小辛村。尝自京归,未至二十里许,天暗失道。遥望火光,往投之宿。见一女子秉烛出云:"女弱独居,不得宿客。"树曰:"欲进路,碍夜,不可前去。"乞寄外住。女然之。树既进坐,竟以此女独居一室,虑其夫至,不敢安眠。女曰:"何似过嫌? 保无虞,不相误也。"为树设食,食物悉是陈久。树曰:"卿未出适,我亦未婚。欲结大义,能相顾否?"女笑曰:"自顾鄙薄,岂足伉俪?"遂与寝止。向晨,树去。乃俱起执别,女泣曰:"与君一睹,后面无期。"以指环一双赠之,结置衣带,相送出门。树低头急去数十步,顾其宿处,乃是冢墓。居数日,亡。其指环结带如故。

灵 侯

南平国蛮兵一作岳。在姑孰,一作苏。便有鬼附之。声呦呦细长,或在檐宇之际,或在庭树上。每占吉凶,辄先索琵琶,随弹而言。事事有验。时郤倚为长史,问当迁官,云:"不久持节也。"寻为南蛮校尉。予为国郎中,亲领此土。荆州俗谚或云是老鼠所作,名曰灵侯。

户 外 应 声

昔有老姥雨夜纺绩,断失其镂所在。姥独骂云:"何物鬼担去?"户外即有应声言:"暂借避雨,实不偷镂。宜就觅之。"姥惊惧窥外,略无所见,镂亦寻获。

妒 鬼

吴兴袁乞妻临终,执乞手云:"我死,君再婚否?"乞言:"不忍也。"既而服竟更娶。乞白日见其死妇语之云:"君先结誓,云何负言?"因以刀割其阳道。虽不致死,人性永废。

花 上 盈 盈

临一作林。川聂包死数年,忽诣南丰相沈道袭作歌。其歌笑甚有伦次,每歌辄作"花上盈盈正闻行,当归不闻死复生"。事异辞怪。

亡 儿 慰 母

琅玡王凝之，字叔平。妻左将军夫人谢氏，弈之女也。尝频亡二男，悼惜甚过，哭泣累年，若居至艰。后忽见二儿俱还，皆若锁械，慰免其母："宜自宽割。儿并有罪。若垂哀怜，可为作福。"于是哀痛稍止而勤功德。

鬼 作 嗔 声

琅玡王骋之妻陈郡谢氏，生一男，小字奴子。经年后，王以妇婢招利为妾。谢元嘉八年病终。王之墓在会稽，假瘗建康东冈。既窆反虞，舆灵入屋。凭几忽于空中掷地，便有嗔声曰："何不作挽歌，令我寂寂上道耶？"骋之云："非为永葬，故不具仪耳。"

打 鼓 称 冤

沙门有支法存者，本自胡人，生长广州。妙善医术，遂成巨富。有八尺氍毹，光彩耀目，作百种形象。又有沉香八尺板床，居常香馥。太原王琰—作谈。为广州刺史，大儿邵之屡求二物，法存不与。王因状法存豪纵，乃杀而籍没家财焉。法存死后，形见于府内，辄打阁下鼓，似若称冤。如此经日。王寻得病，恒见法存守之。少时，遂亡。邵之此至扬都，亦丧。

司 马 家 奴

河内司马惟之奴天雄死后还，其妇来喜闻体有鞭痕而脚著锁。问云："有何过，至如此？"曰："曾因醉，窃骂大家，今受此罪。"

颜 延 之 妾

陈郡颜延之字延年，有爱妾死。延之痛惜甚至。以冬日临哭，忽见妾排屏风，以压延之。延之惧，坠地。因病卒。

鬼 食 粔 籹

永初中，张骥于都丧亡。司马茂之往哭，见骥凭几而坐，以箸刺粔籹食之。粔籹膏环也。

厕 中 怪

元嘉二十六年，豫章胡庇之尝为武昌郡。入厕中，便有鬼怪。中宵笼月，户牖少开。有人倚立户外，状似小儿。户闭，便闻人行如著木屐声，看则无所见。如此甚数。二十八年三月，举家悉得时病，既而渐差。

刘 元 入 魏

刘元字幼祖，少与武帝善，而轻何无忌，遂不相得，乃去。游吴郡虎邱山，心欲留焉。夜临风长啸，对月鼓琴于剑池上。忽闻环珮音，一女子衣紫罗之衣，垂钿带，谓元曰："吴王爱女，愿来相访。"元曰："吴王爱女，岂非韩重妻紫玉耶？"遂与元偕行，谓元曰："闻君与刘裕相得，裕是王者。然与何无忌不美，此人恐为君患。若北还仕魏朝，官亦不减牧伯。"言讫，忽不见。乃在一大陵松树下，约去虎邱三里许。元乃北去仕魏，累官青州刺史。

麝 香 辟 恶

元嘉二十年，王怀之丁母忧。葬毕，忽见树上有妪，头戴大发，身披白罗裙,足不践柯,亭然虚立。还家叙述,其女遂得暴疾,面乃变作向树杪鬼状。乃与麝香服之,寻复如常。世云麝香辟恶,此其验也。

一 足 鬼

元嘉中,魏郡张承吉息元庆年十二,见一鬼,长三尺,一足而鸟爪,背有鳞甲,来招。元庆恍惚如狂,游走非所。父母挞之。俄闻空中云:"是我所教,幸勿与罚。"张有二卷羊中敬书,忽失所在。鬼于梁上掷还一卷,少裂坏,乃为补治。王家嫁女,就张借□。鬼求纸笔代答。张素工巧,尝造一弹弓。鬼借之,明日送还,而皆折坏。

鬼 作 五 木

元嘉中,颍川宋寂。昼忽有一足鬼,长三尺,遂为寂驱使。欲与邻人摴蒱而无五木,鬼乃取刀斫庭中杨枝,于户间作之,即烧灼,黑白虽分明,但朴耳。

七 日 假

元嘉十二年,长山郭悖病亡。后孙儿见悖著帻布裙,在灵床上呼孙与语,云:"今得七日假,假满将去。二小鬼捉襆在门,可就取也。"孙求襆,即得。又云:"汝叔从都还,得锽犁锄。可试取看。"便以呈之,仍以两铁钳加,苍苍作声。语孙曰:"我无复归缘,从此而绝。"

黄 父 鬼

黄州治下有黄父—作文。鬼,出则为祟。所著衣袷皆黄,至人家,张口而笑,必得疫疬。长短无定,随篱高下。自不出已十余年。土俗畏怖,惶恐不绝。

山　灵

庐陵人郭庆之，有家生婢，名采薇，年少，有美色。宋孝建年中，忽有一人，自称山灵，如人裸身，形长丈余，胸臂皆有黄色，肤貌端洁，言音周正，呼为"黄父鬼"，来通此婢。婢云："意事如人。"鬼遂数来。常隐其身，时或露形。形变无常，乍大乍小，或似烟气，或为石，或为小鬼，或为妇人，或如鸟兽足迹，或如人，长二尺许；或似鹅，迹掌大如盘。开户闭牖，其入如神。与婢戏笑，如人也。

鬼避徐叔宝

元嘉十四年，徐道饶忽见一鬼，自言是其先人。于时冬日，天气清朗。先积稻屋下，云："汝明日可曝谷。天方大雨，未有晴时。"饶从其教，鬼亦助辇。后果霖雨。时有见者，形如猕猴。饶就道士请符，悬著窗中。见便大笑云："欲以此断我，我自能从狗窦中入。"虽则此语，而不复进。经数日，叹云："徐叔宝来，吾不宜见之。"后日果至，于是遂绝。

梁清家诸异

安定梁清，字道修，居扬州右尚方间桓徐州故宅。元嘉十四年二月，数有异光，仍闻擘萝声。令婢子松罗往看，见一人，问，云姓华名芙蓉，为六甲至尊所使，从太微紫宫下，来过旧居。乃留不去。或鸟头人身，举面是毛，掷洒粪秽。清引弓射之，应弦而灭，并有绛汁染箭。又睹一物，形如猴，悬在树标。令人刺，中其髀，堕地淹没。经日，反从屋上跛行，就婢乞食，团饭授之，顿造二升。经日，众鬼群至，丑恶不可称论。松罗床帐，一作障。尘石飞扬，累晨不息。婢采菊，路逢一鬼，著衣帻，乘马，卫从数十。谓采菊曰："我是天上仙人，勿名作鬼。"问："何以恒掷秽污？"答曰："粪污者，钱财之象也。投掷者，速迁之征也。"顷之,清果为扬武将军、北鲁郡太守。清厌毒既久,乃呼外国道人波罗氍诵咒文。见诸鬼怖惧,逾垣穴壁而走,皆作鸟声,于此都绝。在郡,少时夜中,松罗复见威仪器械、人众数十,一人戴帻,送书粗纸,有七十许字,笔迹婉媚,远拟羲、献。又歌云:"坐侬孔雀楼,遥闻凤凰鼓。下我邹山头,仿佛见梁鲁。"鬼有叔操丧,哭泣答吊,不异世人。鬼传教曾乞松罗一函书,题云:"故孔修之死罪",白笺,以吊其叔丧,叙致哀情,甚有铨次。复云:"近往西方,见一沙门,自名大摩刹,问君消息,寄五丸香,以相与之。"清先奉使燉煌,忆见此僧。清有婢产,于此遂绝。

青 桐 树

句章人—无人字。吴平州门前,忽生一株青桐树,上有谣歌之声。平恶而斫杀。平随军北征,首尾三载。死桐欻自还立于故根之上。又闻树巅空中歌曰:"死桐今更青,吴平寻当归。适闻杀此树,已复有光辉。"平寻复归如见。

卷七

武帝冢中物

汉武帝冢里先有玉箱瑶杖各一,是西胡康渠王所献。帝平素常玩之,故入梓宫中。其后四年,有人于扶风郿市买得此二物。帝左右识而认之。说卖者形状,乃帝也。

礜石冢

魏武北征蹋顿,升岭眺瞩。见一山冈,不生草木。王粲曰:"必是古冢。此人在世服生礜石死,而石气蒸出外;故卉木焦灭。"即令凿看,果得大墓,有礜石满茔。仲宣博识强记,皆此类也。一说粲在荆州,从刘表登障山而见此异。魏武之平乌桓,粲犹在江南。此言为谲。一作当。

苍梧王墓

苍梧王士燮,汉末死于交趾,遂葬南境。而墓常蒙雾,灵异不恒。屡经离乱,不复发掘。晋兴宁中,太原温放之为刺史,躬乘骑往开之。还,即坠马而卒。

茗饮获报

剡县陈务妻,少与二子寡居。好饮茶茗。宅中先有古冢,每日作茗饮,先辄祀之。二子患之,曰:"古冢何知?徒以劳祀。"欲掘去之。母苦禁而止。及夜,母梦一人曰:"吾止此冢二百余年,谬蒙惠泽。卿二子恒欲见毁，赖相保护。又飨吾佳茗。虽泉壤朽骨，岂忘翳桑之报？"遂觉。明日晨兴，乃于庭内获钱十万，似久埋者而贯皆新。提还告其儿。儿并有惭色。从是祷酹愈至。

金 镜 助 赠

晋隆安中，颜从尝起新屋。夜梦人语云："君何坏吾冢？"明日，床前亟掘之，遂见一棺。从便为设祭，云："今当移好处，别作小冢。"明朝，一人诣门求通，姓朱名护，列坐乃言："我居四十年。昨蒙厚觎，相感何如？今是吉日，便可出棺矣。仆巾箱中有金镜，愿以相助。"遂于棺头巾箱中取金镜三枚赠从。忽然不见。

古 坟 鼓 角

晋司空郗方回葬妇于骊山，使会稽郡史史泽治墓，多平夷古坟。后坏一冢，构制甚伟，器物殊盛。冢发，闻鼓角声。

诸 葛 闾 墓

颍川诸葛闾字道明，墓在扬州庄蒋山之西。每至阴雨，冢中辄有弦歌之声。

鸡 山 雉 涧

朱文绣与罗子钟为友，俱仕于梁。绣既死，子钟哭之，其夜亦亡。梁南七里有鸡山，绣葬于其中。北九里有雉涧，埋钟于其内。绣神灵变为鸡，钟魂魄化为雉，清鸣哀响，往来不绝。故诗曰："鸡山别飞向，雉涧和清音。"

戴墓王气

武昌戴熙，家道贫陋，墓在樊山间。占者云有王气。宣武仗钺—作威。西下，停武昌。令凿之。得一物，大如水牛，青色，无头脚，时亦动摇。斫刺不陷，乃纵著江中。得水便有声，如雷响发长川。熙后嗣沦胥殆尽。

古墓完尸

元嘉中，豫章胡家奴开昌邑王冢，青州人开齐襄公冢，并得金钩；而尸骸露在岩中俨然。兹亦未必有凭而然也。京房尸，至义熙中犹完具。僵尸人肉堪为药，军士分割之。

漆棺老姥

海陵如皋县东城村边海岸崩坏，见一古墓。有方头漆棺，以朱题上云："七百年堕水。元嘉二十载三月坠于悬巘，和盖从潮漂沉，辄溯流还依本处。"村人朱护等异而启之，见一老姥，年可七十许。旛头著裩，鬓发皓白，不殊生人。钗髻衣服，粲然若新。送葬器物，枕履悉存。护乃赍酒脯，施于柩侧。尔夜，护妇梦见姥云："向获名贶，感至无已。但我墙屋毁发，形骸飘露。今以值一千，乞为治护也。"置钱便去。明觉，果得。即用改殓，移于高阜。

黄公冢

广陵郡东界，有黄公冢高坟二所。前有一井，面广数尺，每旱不竭。有人于其中得铜釜及镬各一。又云：江都郡东界有黄公坟三所，阴天恒闻有鞞角之声。

即 墨 古 冢

即墨有古冢。或发之,有金牛塞埏门,不可移动。犯之则大祸。

黄 帝 伶 人

嵇康字叔夜,谯国人也。少尝昼寝,梦人身长丈余,自称黄帝伶人,骸骨在公舍东三里林中,为人发露,乞为葬埋,当厚相报。康至其处,果有白骨,胫长三尺。遂收葬之。其夜,复梦长人来,授以《广陵散》曲。及觉,抚琴而作,其声正妙,都不遗忘。高贵乡公时,康为中散大夫。后为钟会所谮,司马文王诛之。

梦 得 大 象

晋会稽张茂字伟康,尝梦得大象,以问万雅。一作推。雅曰:“君当为大郡守,而不能善终。大象者,大兽也。取诸其音:兽者,守也。故为大郡。然象以齿焚其身,后必为人所杀。”茂永昌中为吴兴太守,值王敦问鼎,执正不移。敦遣沈充杀之而取其郡。

邓 庙

邓艾庙在京口新城,有一草屋,毁已久。晋安北将军司马恬,于病中梦见一老翁曰:“我邓公也。屋舍倾坏,君为治之。”后访之,乃知邓庙。为立瓦屋。

河 神 请 马

晋明帝时,献马者梦河神请之。及至,与帝梦同。遂投河以奉神。始,太傅褚裒亦好此马。帝云:“已与河神。”及褚公卒,军人见公乘此马矣。

梦 生 八 翼

陶侃梦生八翼,飞翔冲天。见天门九重,已入其八,惟一门不得进,以翼搏天。阍者以杖击之,因堕地,折其左翼。惊悟,左腋犹痛。其后都督八州,威果振主。潜有窥拟之志,每忆折翼之祥,抑心而止。

燃 犀 照 渚

晋温峤至牛渚矶,闻水底有音乐之声。水深不可测,传言下多怪物,乃燃犀角而照之。须臾,见水族覆火,奇形异状,或乘马车,著赤衣帻。其夜,梦人谓曰:"与君幽明道隔,何意相照耶?"峤甚恶之。未几卒。

苻 坚 凶 梦

苻坚将欲南师也,梦葵生城内。明以问妇,妇曰:"若征军远行,难为将也。"坚又梦地东南倾,复以问。云:"江左不可平也。君无南行!必败之象也。"坚不从。卒以败。

梦 合 子 生

晋咸和初,徐精远行。梦与妻寝,有身。明年归,妻果产,后如其言。

慧 猷 诗 梦

晋武太元二年,沙门竺慧猷夜梦读诗五首。其一篇后曰:"陌南酸枣树,名为六奇木。遣人以伐取,载还柱马屋。"

王 戎 梦 椹

太元中，太原王戎为郁林太守，泊船新亭眠。梦有人以七枚椹子与之，著衣襟中。既觉，得之。占曰："椹，桑子也。自后男女大小，凡七丧。"

龙 山 神

晋荆州刺史桓豁所住斋中，见一人，长丈余。梦曰："我龙山之神，来无好意。使君既贞固，我当自去耳。"

长 人 入 梦

晋义熙初，乌伤黄蔡于查溪岸照射，见水际有物，眼光彻其间，相去三尺许，形如大斗。引弩射之，应弦而中。便闻从流奔惊，波浪砰磕，不知所向。经年，与伴共至一处，名为竹落岗。去先所二十许里，有骨可长三丈余，见昔射箭贯在其中。因语伴云："此是我往年所射物，乃死于此。"拔矢而归。其夕，梦见一长人责诮之曰："我在洲渚之间，无关人事，而横见杀害，怨苦莫伸。连时觅汝，今始相得。"眠痦，患腹痛而殒。

梦 得 如 意

晋太原郭澄之，字仲靖。义熙初，诸葛长民欲取为辅国谘议，澄之不乐。后为南康太守。卢循之反自广州，长民以其无先告，因骋私恶，收澄之以付廷尉，将致大辟。夜梦见一神人，以乌角如意与之。虽是痦中，殊自指的。既觉，便在其头侧，可长尺余，形制甚陋。澄之遂得无恙。后从入关，赍以自随。忽失所在。

衡　阳　守

义熙中，商灵均为桂阳太守。梦人来缚其身，将去，形神乖散。复有一人云："且置之。须作衡阳，当取之耳。"商惊寤惆怅。永初三年，除衡阳守。知冥理难逃，辞，不得免。果卒官。

梦　谢　拯　棺

商仲堪在丹徒，梦一人曰："君有济物之心，如能移我在高燥处，则恩及枯骨矣。"明日，果有一棺逐水流下。仲堪取而葬之于高冈，酹以酒食。其夕，梦见其人来拜谢。一云：仲堪游于江滨，见流棺，接而葬焉。旬日间，门前之沟忽起为岸。其夕，有人通仲堪，自称徐伯玄，云："感君之惠，无以报也。"仲堪因问："门前之岸，是何祥乎？"对曰："水中有岸，其名为洲。君将为州。"言终而没。

梦　还　符　谶

蒋道支于水侧，见一浮楂，取为研。制形象鱼，有道家符谶及纸，皆内鱼研中。常以自随二十余年。忽失之，梦人云："吾暂游湘水，过湘君庙，为二妃所留。今复还，可于水际见寻也。"道支诘旦至水侧，见罾者得一鲤鱼，买剖之。得先时符谶及纸，方悟是所梦人，弃之。俄而雷雨，屋上有五色气，直上入云。后人有过湘君庙，见此鱼研在二妃侧。

刘　穆　之　佳　梦

刘穆之，东莞人，世居京口。初，为琅玡府主簿。尝梦与武帝泛海，遇大风，惊，俯视船下，见二白龙夹船。既而至一山，山峰耸秀，意甚悦。又尝渡扬子江宿，梦合两船为舫，上施华盖，仪饰甚盛，以升天。既晓，有一老姥问曰："君昨夜有佳梦否？"穆之乃具说之。姥曰："君必位居端揆。"言讫，不见。后官至仆射、丹阳尹，以元功也。

丧 仪 如 梦

景平中，颖川苟茂远至南康。夜梦一人，头有一角，为远筮曰："君若至都，必得官。"问是何职？答曰："官生于水。"于是而寤，未解所说。因复寐，又梦部伍至扬州水门，堕水而死。作棺既成，远入中自试，恨小，即见殡殓，葬之渚次。怅然惊觉，以告母兄。船至水门，果落江而殒。丧仪一如其梦。

沈 庆 之 异 梦

吴兴沈庆之字宏先，废帝遣从子攸之赍药赐死，时年八十。是岁旦，庆之梦有人以两匹绢与之，谓曰："此绢足度。"寤而谓人曰："老子今年不免矣。两匹，八十尺也。足度，无盈余矣。"遂死。初，庆之尝梦引卤簿入厕中。庆之甚恶入厕之鄙。时有善占梦者为解之，曰："君必大富贵；然未在旦夕。"问其故。答云："卤簿，固是富贵容。厕中，所谓后帝也。知君富贵，不在今日。"

谢 客 儿

临川太守谢灵运。初，钱塘杜明师夜梦东南有人来入其馆。是夕，即灵运生于会稽。旬日，而谢玄亡。其家以子孙难得，送灵运于杜治养之。十五，方还都。故名客儿。治音稚。奉道之家静室也。

卷八

赵晃劾蛇妖

后汉时，姑苏忽有男子衣白衣，冠白冠，形神修励。从者六七人，遍扰居民。欲掩害之，即有风雨。郡兵不能掩。术士赵晃闻之，往白郡守曰："此妖也。欲见之乎？"乃净水焚香，长啸一声。大风疾至，闻室中数十人响应。晃掷手中符如风。顷若，有人持物来者。晃曰："何敢幻惑如此？"随复旋风拥去。晃谓守曰："可视之。"使者出门，人已报云：去此百步，有大白蛇长三丈，断首路旁。其六七从者，皆身首异处，亦鼋鼍之属。

乐广治狸怪

乐广字彦辅，南阳淯阳人。晋惠帝时，为河南尹。先是，官舍多妖怪，前尹皆于廊下督邮传中治事，无敢在厅事者。惟广处之不疑。常白日外户自开，二子凯、横等皆惊怖。广独自若。顾见墙有孔，使人掘墙，得狸而杀之。其怪遂绝。

徐奭遇女妖

晋怀帝永嘉中，徐奭出行田，见一女子，姿色鲜白，就奭言调。女因吟曰："畴昔聆好音，日月心延伫。如何遇良人，中怀邈无绪？"奭情既谐，欣然延至一屋，女施设饮食而多鱼，遂经日不返。兄弟追觅至湖边，见与女相对坐。兄以藤杖击女，即化成白鹤，翻然高飞。奭恍惚，年余乃差。

桓谦灭门兆

晋太元中,桓谦字敬祖。忽有人皆长寸余,悉被铠持矟,乘具装马,从邑一作埨。中出。精光耀日,游走宅上。数百为群,部障指麾,更相撞刺。马既轻快,人亦便捷。能缘几登灶,寻饮食之所。或有切肉,辄来丛聚。力所能胜者,以矟刺取,径入穴中。蒋山道士朱应子,令作沸汤,浇所入处,寂不复出。因掘之,有斛许大蚁,死在穴中。谦后以门衅同灭。

青衣人索骨

太元中,吴兴沈霸梦女子来就寝。同伴密察,惟见牝狗。每待霸眠,辄来依床。疑为魅,因杀而食之。霸后梦青衣人责之曰:"我本以女与君共事。若不合怀,自可见语。何忽乃加耻杀?一作欼。可以骨见还。"明日,收骨葬冈上。从是乃平复。

异 物 象 形

晋孝武太元十二年,吴郡寿颁道志边水为居。渚次忽生一双物,状若青藤而无枝叶,数日盈拱。试共伐之,即有血出。声在空中,如雄鹅叫,两音相应。腹中得一卵,形如鸭子。其根头似蛇面眼。

龟 载 碑 还

吴郡岑渊为吴郡时,大司农卿碑注在江东湖西。太元中,村人见龟载从田中出,还其先处,萍藻犹著腹下。

牝 猴 入 簨

晋太元末,徐寂之尝野行,见一女子,操荷举手麾寂之。寂之悦而延住。此后，来往如旧。寂之便患瘦瘠。时或言见华房深宇，芳茵广筵。寂之与女觞肴宴乐。数年，其弟晖之闻屋内群语，潜往窥之，见数女子从后户出。惟余一者，隐在簀边。晖之径入，寂之怒曰："今方欢乐，何故唐突？"忽复共言云："簀中有人。"晖之即发看，有一牝猴。遂杀之。寂之病遂瘥。

扫帚怪

义熙中，东海徐氏婢兰，忽患赢黄而拂拭异常。共伺察之，见扫帚从壁角来趋婢床。乃取而焚之，婢即平复。

紫衣女

晋义熙中，乌伤人孙乞赍父书到郡，达石亭。天雨日暮，顾见一女，戴青伞，年可十六七，姿容丰艳，通身紫衣。尔夕，电光照室，乃是大狸。乞因抽刀斫杀，伞是荷叶。

伐桃致怪

晋义熙中，永嘉松阳赵翼与大儿鲜共伐山桃树，有血流，惊而止。后忽失第三息所在。经十日，自归。空中有语声，或歌或哭。翼语之曰："汝既是神，何不与相见？"答曰："我正气耳。舍北有大枫树，南有孤峰，名曰石楼。四壁绝立，人兽莫履。小有失意，便取此儿著树杪及石楼上。"举家叩头请之，然后得下。

赤苋魅

晋有士人，买得鲜卑女，名怀顺。自说其姑女为赤苋所魅。始见一丈夫，容质妍净，著赤衣，自云家在厕北。女于是恒歌谣自得，每至将夕，辄结束去屋后。其家伺候，唯见有一株赤苋，女手指环挂其苋上。芟之而女号泣。经宿遂死。

武 昌 三 魅

高祖永初中，张春为武昌太守。时人有嫁女，未及升车，忽便失性，出外殴击人，乃自云已不乐嫁俗人。巫云是邪魅，将女至江际，遂击鼓以术咒疗。春以为欺惑百姓，刻期须得妖魅。翼日，有一青蛇来到巫所，即以大钉钉其头。至日中时，复见大龟从江来，伏于巫前。巫以朱书龟背作符，更遣入江。至暮，有大白鼍从江中出，乍沉乍浮，龟随后催逼。鼍自分死，冒来先入，慢与女辞诀。女遂恸哭，云失其姻好。于是渐差。或问巫曰："魅者，归于一物。今安得有三?"巫云："蛇是传通，龟是媒人，鼍是其对。"所获三物，悉以示春。春始知灵验，皆杀之。

鼍 魅

元嘉初，建康大夏营寡妇严，有人称华督，与严结好。街卒夜见一丈夫行，造护军府。府在建阳门内。街卒呵问，答曰："我华督，造府。"径沿西墙而入。街卒以其犯夜，邀击之。乃变为鼍。察其所出入处，甚莹滑，通府中池。池先有鼍窟，岁久因能为魅。杀之乃绝。

暂 同 阜 虫

文帝元嘉初，益州王双，忽不欲见明。常取水沃地，以菰蒋覆上。眠息饮食，悉入其中。云恒有一女子，著青裙白帬，一作领巾。来就其寝。每一作母。听闻荐下有声历历，发之，见一青色白缨蚯蚓，长二尺许。云此女常以一奁香见遗，气甚清芬。奁乃螺壳，香则菖蒲根。于时咸谓双暂同阜螽矣。蚯蚓土精，无心之虫，与阜螽交。

獭　化

河东常丑奴，将一小儿湖边拔蒲，暮恒宿空田舍中。时日向暝，见一少女子，姿容极美，乘小船载莼，径前投丑奴舍寄住。因卧，觉有臊气，女已知人意，便求出户外，变为獭。

蜘　蛛　魅

陈郡殷家养子名琅，与一婢结好。经年婢死，后犹来往不绝，心绪昏错。其母深察焉。后夕见大蜘蛛，形如斗样，缘床就琅，便宴尔怡悦。母取而杀之。琅性理遂复。一作獬。

王纂针魅

元嘉十八年，广陵下市县人张方女道香，送其夫婿北行。日暮，宿祠门下。夜有一物，假作其婿来云："离情难遣，不能便去。"道香俄昏惑失常。时有海陵王纂者，能疗邪。疑道香被魅，请治之。始下一针，有一獭从女被内走入前港。道香疾便愈。

狸　中　狸

元嘉十九年，长山留元寂曾捕得一狸，剖腹，复得一狸；又破之，更获一狸；方见五脏。三狸虽相包怀，而大小不殊。元寂不以为怪，以皮挂于屋后。其夜，有群狸绕之号呼，失皮所在。元寂家亦无他。

石　龟　耗　粟

余姚县仓，封印完全。既而开之，觉大损耗。后伺之，乃是富阳县桓王陵上双石龟所食。即密令毁龟口，于是不复损耗。

绳弮获髻

琅玡费县民家，恒患失物。谓是偷者每以扄钥为意，常周行宅内。后果见篱一穿穴，可容人臂，甚滑泽，有踪迹。乃作绳弮，放穿穴口。夜中忽闻有摆扑声，往掩，得一髻，长三尺许。从此无复所失。

树下老公

永康舒寿夫，与同里猎于远山。群犬吠深茂处，异而看之。见树下有一老公，长可三尺，头须蒙然，面绉齿落，通身黄服，裁能动摇。因问："为是何人，而来在此?"直云："我有三女，姿容兼多伎艺。弹琴歌诗，闲究《五典》。"寿夫等共缚束，令出女。公曰："我女居深房洞庭之中，非自往唤，不可复来。请解我绳，当呼女也。"猎人犹不置。俄而变成一兽，黄色四足；其形似皋，又复似狐；头长三尺，额生一角，耳高于顶，面如故。寿夫等大惧，狼狈放解，倏忽失处。

徐女复生

晋广州太守冯孝将男马子，梦一女人，年十八九岁，言："我乃前太守徐玄方女，不幸早亡。亡来四年，为鬼所枉杀。按生箓，乃寿至八十余。今听我更生，还为君妻。能从所委见救活否?"马子掘开棺视之，其女已活。遂为夫妇，生一男一女。

陈忠女

鄱阳陈忠女名丰。邻人葛勃有美姿，丰与村中数女共聚络丝戏，相谓曰："若得婿如葛勃，无所恨也。"阙

乐 安 章 沉

临海乐安章沉，一作汎。年二十余死。经数日，将敛而苏。云：被录到天曹。天曹主者，是其外兄。断理得免。初到时，有少年女子同被录送，立住门外。女子见沉事散，知有力助，因泣涕，脱金钏一只，及臂上杂宝，托沉与主者，求见救济。沉即为请之，并进钏物。良久出，语沉已论，秋英亦同遣去。秋英，即此女之名也。于是俱去。脚痛疲顿，殊不堪行。会日亦暮，止道侧小窟，状如客舍，而不见主人。沉共宿嬿接，更相问次。女曰："我姓徐，家在吴县乌门，临渎为居。门前倒枣树即是也。"明晨各去，遂并活。沉先为护府军吏，依假出都，经吴，乃到乌门。依此寻索，得徐氏舍。与主人叙阔，问："秋英何在？"主人云："女初不出入，君何知其名？"沉因说昔日魂相见之由，秋英先说之，所言因得。主人乃悟。甚羞，不及寝嬿之事。而其邻人或知，以语徐氏。徐氏试令侍婢数人递出示沉，沉曰："非也。"乃令秋英见之，则如旧识。徐氏谓为天意，遂以妻沉。生子名曰天赐。

胎　　教

瞽瞍生舜，征在生孔子，其有胎教也哉！妇人妊孕，未满三月，著婿衣冠，平旦左绕井三匝，映井水，详观影而去。勿返顾，勿令婿见，必生男。

额 上 生 儿

晋安帝义熙中，魏兴李宣妻樊氏怀妊，过期不孕，而额上有疮。儿穿之以出。长为将，今犹存，名胡儿。

怀 妊 生 冰

元嘉中高平平邱孝妇怀妊，生一团冰。得日，便消液成水。

怪　　胎

魏郡徐逮字君及，妇平昌孟氏生儿，头有一角，一脚。头正仰向，通身尽赤，落地无声，乘虚而去。

温　盘　石

太原温盘石，母怀身三年然后生，堕地便坐而笑，发覆面，牙齿皆具。

人 兽 合 胎

丹阳县庆妇生一男、一虎、一狸。狸、虎毛色斑黑，牙爪皆备。即杀之。儿经六日死。母无他异。

髀 疮 生 儿

长山赵宣母，妊身如常，而髀上痒，搔之成疮。儿从疮出，母子平安。

刘 毅 妻 妖 胎

刘毅讨桓修之。桓遣人擒得毅妻郭美，送与玄，遂宠擅诸姬，有身。及玄败，郭还。遂产一儿、一鼠。毅怒杀儿，鼠走枯莽中。其后郭病死，方殓。鼠忽来，跳入棺内。

尸 生 儿

元嘉中，沛国武漂之妻林氏怀身，得病而死。俗忌含胎入柩中，要须割出。妻乳母伤痛之，乃抚尸而祝曰："若天道有灵，无令死被擘裂。"须臾，尸面赧然上色。于是呼婢共扶之。俄顷，儿堕而尸倒。

汉末小黄门

汉末大乱，宫人小黄门上墓树上避兵，食松柏实，遂不复饥。举体生毛，长尺许。乱离既平，魏武闻而收养，还食谷，齿落头白。

猎见异人

吴天门张某，一作盖。冬月与村人共猎，见大树下有蓬庵，似寝息处而无烟火。须臾，见一人，形长七尺，毛而不衣，负数头死猿。与语不应，因将归。闭空屋中十余日，复送故处。

猎人化鹿

晋咸宁中，鄱阳乐安有人姓彭，世以射猎为业。每入山，与子俱行。后忽蹶然而倒，化成白鹿。儿悲号，鹿跳跃远去。遂失所在。其子终身不复弋猎。至孙，复袭其事。后忽射一白鹿，乃于两角间得道家七星符，并有其祖姓名及乡居年月在焉。睹之悔懊，乃烧弓矢，永断射猎。

社公令作虎

晋太康中，荥阳郑袭为广陵太守。门下驺忽如狂，奄失其所在。经日寻得，裸身呼吟，肤血淋漓。问其故，云社公令其作虎，以斑皮衣之。辞以"执鞭之士，不堪虓跃"。神怒，还使剥皮。皮已著肉，疮毁惨痛。旬日乃差。

吏 变 三 足 虎

晋时，豫章郡吏易拔，义熙中受番还家，远一作违。遁不返。郡遣追，见拔言语如常，亦为设食。使者催令束装，拔因语曰："汝看我面。"乃见眼目角张，身有黄斑色，便竖一足，径出门去。家先依山为居，至林麓，即变成三足大虎。所竖一足，即成其尾也。

神 罚 作 虎

晋太元十九年，鄱阳桓阐杀犬，祭乡里绥山，煮肉不熟。神怒，即下教于巫曰："桓阐以肉生贻我，当谪令自食也。"其年，忽变作虎。作虎之始，见人以斑皮衣之，即能跳跃噬逐。

胡 道 洽

胡道洽者，自云广陵人，好音乐医术之事。体有臊气，恒以名香自防；唯忌猛犬。自审死日，诫弟子曰："气绝便殡，勿令狗见我尸也。"死于山阳。殡毕，觉棺空。即开看，不见尸体。时人咸谓狐也。

天 谪 变 熊

元嘉三年，邵陵高平黄秀，无故入山，经日不还。其儿根生寻觅，见秀蹲空树中，从头至腰，毛色如熊。问其何故，答云："天谪我如此。汝但自去。"儿哀恸而归。逾年，伐山人见之，其形尽为熊矣。

谢 白 面

陈郡谢石字石奴，太元中少患面疮，诸治莫愈。梦日环其城，乃自匿远山，卧于岩下。中宵，有物来舐其疮，随舐随除。既不见形，意为是龙。而舐处悉白，故世呼为谢白面。

啖 鸭 成 瘕

元嘉中，章安有人啖鸭肉，乃成瘕病。胸满面赤，不得饮食。医令服秫米沈。须臾烦闷，吐一鸭雏，身、喙、翅皆已成就，惟左脚故缀昔所食肉，病遂获差。

食 牛 作 牛 鸣

山阴有人尝食牛肉，左髀便作牛鸣。每劳辄剧，食乃止。

误 吞 发 成 瘕

有人误吞发，便得病，但欲咽猪脂。张口时，见喉中有一头出受膏。乃取小钩为饵而引。得一物，长三尺余，其形似蛇而悉是猪脂。悬于屋间，旬日融尽，惟发在焉。

卷九

郑　康　成

后汉郑玄字康成,师马融,三载无闻。融鄙而遣还。玄过树阴假寝。梦一老父,以刀开腹心,倾墨汁著内,曰:"子可以学矣。"于是寤而即返,遂精洞典籍。融叹曰:"《诗》、《书》、《礼》、《乐》,皆已东矣。"潜欲杀玄,玄知而窃去。融推式以算玄,玄当在土木上,躬骑马袭之。玄入一桥下,俯伏柱上。融蹰躅桥侧,云:"土木之间,此则当矣。有水,非也。"从此而归。玄用免焉。一说玄在马融门下,三年不相见。高足弟子传授而已。常算浑天不合,问诸弟子。弟子莫能解。或言玄,融召令算,一转便决。众咸骇服。及玄业成辞归,融心忌焉。玄亦疑有追者,乃坐桥下,在水上据屐。融果转式逐之,告左右曰:"玄在土下水上而据木,此必死矣。"遂罢追。玄竟以免。

亡　牛

管辂洞晓术数。初,有妇人亡牛,从之卜,曰:"当在西面穷墙中。可视诸邱冢中,牛当悬头上向。"既而果得。妇人反疑辂为藏己牛,告官按验。乃知是术数所推。

失　妻

洛<small>或作路。</small>中小人失妻者,辂为卜,教使明旦于东阳城门中,伺担豚人,牵与共斗。具如其言,豚逸走,即共追之。豚入人舍,突破主人瓮,妇从瓮中出。

火　灾

中书令纪玄龙，辂乡里人也。辂在田舍，尝候远邻。主人苦频失火，辂卜，教使明日于南陌上伺，当有一角巾诸生，驾黑牛故车来；必引留，为设宾主，此能消之。后果有此生来，玄龙因留之宿。生有急，求去，不听。遂留当宿，意大不安，以为图己。主人罢入，生乃持刀出门外，倚两薪积间，侧立假寐。忽有一物直来过前，状如兽；手中持火，以口吹之。生惊，举刀斫，便死。视之，则狐。自是主人不复有灾。

盗　鹿

时有利漕治下屯民捕鹿者，获之，为人所窃，诣辂为卦。语云："此有盗者，是汝东巷中第三家也。汝径往门前，候无人时，取一瓦子，密发其碓屋东头第七椽。以瓦著下，不过明日食时，自送还汝。"其夜，盗者父忽患头痛，壮热烦疼，亦来诣辂卜。辂为发祟，盗者具服。令担皮肉，还藏著故处，病当自愈。乃密教鹿主往取，又语使复往如前，举椽弃瓦，盗父亦差。

失　物

都尉治内史有失物者，辂使明晨于寺门外看，当逢一人，令指天画地，举手四向，自当得之。暮果获于故处。

鸟　鸣

安德令刘长仁，闻辂晓鸟鸣，初不信之。须臾，有鸣鹊来在阁屋上，其声甚急。辂曰："鹊言东北有妇，昨杀夫。牵引西家人夫娄离候。不过日在虞渊之际，告者至矣。"到时，果有东北同伍民来告，如辂言。

飞　鸠

辂尝至郭恩家，有飞鸠来在梁头，鸣甚悲。辂曰："当有老公从东方来，携肫一头、酒一壶来候。主人虽喜，当有小故。"明日，果有客如所占，而射鸡作食。箭从树间激中数岁女子手，流血惊怖。

饯　席　射　覆

馆陶令诸葛原字景春，迁新兴太守。辂往饯之，宾客并会。原自取燕卵、蜂窠、蜘蛛，著器中，使射覆。卦成，辂曰："第一物含气须变，依乎宇堂，雄雌以形，翅翼舒张；此燕卵也。第二物家室倒悬，门户众多，藏精畜毒，得秋乃化；此蜂窠也。第三物觳觫长足，吐丝成罗，寻网得食，利在昏夜；此蜘蛛也。"举座惊喜。

印　囊　山　鸡　毛

平原太守刘邠字令清，取印囊及山鸡毛置器中，使辂筮之。辂曰："内方外员，五色成文；含宝守信，出则有章；此印囊也。高岳岩岩，有鸟朱身，羽翼玄黄，鸣不失晨；此山鸡毛也。"邠曰："此郡官舍，连有变怪；使人恐怖，其理何由？"辂曰："或因汉末之乱，兵马扰攘，军尸流血，污染邱山；故因昏夕，多有怪形也。明府道德高妙，自天祐之；愿安百禄，以光休宠。"

王　经　迁　官

清河王经字君备，去官还家。辂与相见，经曰："近有一怪，大不喜之；欲烦作卦。"卦成，辂曰："爻吉，不为怪也。君夜在堂户前，有一流光如燕雀者，入君怀中，殷殷有声，内神不安，解衣彷徉，招呼妇人，

觅索余光。"经大笑曰："实如君言。"辂曰："吉。迁官之征也。"顷之，
为江夏太守。

赵 侯 异 术

晋南阳赵侯，一作度。少好诸异术。姿形悴陋，长不满数尺。以盆
盛水，闭目吹气作禁，鱼龙立见。侯有白米，为鼠所盗。乃披发持刀，
画地作狱，四面开门，向东长啸，群鼠俱到。咒之曰："凡非啖者过去，
盗者令止。"止者十余，剖腹看脏，有米在焉。曾徒跣须履，因仰头微
吟，双履自至。人有笑其形容者，便佯说以酒，杯向口，即掩鼻不脱，
乃稽颡谢过，著地不举。永康有骑石山，山上有石人骑石马。侯以印
指之，人马一时落首，今犹在山下。

庾 嘉 德 善 筮

颍川庾嘉德，善于筮蔡之事。有人失一婢，庾卦云："君可出东陵
口伺候，有姓曹乘车者，无问识否，但就其载，得与不得，殆一理也。"
旦出郭，果有曹郎上墓。径便升车，曹大骇呼，生惊奔入草，刺一死
尸。下视，乃其婢也。

任 诩 从 军

北海任诩字彦期，从军十年乃归。临还，握粟出卜。师云："非屋
莫宿，非食时莫沐。"诩结伴数十共行，暮遇雷雨，不可蒙冒，相与庇于
岩下。窃意"非屋莫宿"戒，遂负担栉休。岩崩压停者，悉死。至家，
妻先与外人通情，谋共杀之，请以湿发为识。妇宵则劝诩令沐，复忆
"非食时莫沐"之忌，收发而止。妇惭愧负怍，乃自沐焉；散发同寝。
通者夜来，不知妇人也，斩首而去。

沐 坚 咒 毙

河间沐坚字壁强,石勒时监作水田,御下苛虐。百姓怨毒,乃为坚形,以刀矛斫刺,咒令倒毙。坚寻得病,苦被捶割,于是遂殒。

泾 祠 妖 幻

晋咸宁中,高阳新城叟为泾祠,妖幻署置百官,又以水自鉴,辄见所署置之人,衣冠俨然。百姓信惑,京都翕集。收而斩之。

黄 金 傉 船

扶南国治生,皆用黄金。傉船东西远近雇一斤。时有不至所届,欲减金数,船主便作幻,诳使船底砥折,状欲沦滞海中,进退不动。众人惶怖,还请赛,船合如初。

孙 溪 奴

元嘉初,上虞孙溪奴多诸幻伎,叛入建安治中。后出民间,破宿瘦辟,遥彻腹内,而令不痛。治人头风,流血滂沱,嘘之便断,疮又即敛。虎伤蛇噬、烦毒、垂死、禁护皆差。向空长啸,则群鹊来萃。夜咒蚊虻,悉皆死倒。至十三年,乃于长山为本主所得。知有禁术,虑必亡叛,的缚枷锁,极为重复。少日已失所在。

永 嘉 阳 童

永嘉阳童,孙权时俗师也。尝独乘船往建宁,泊在渚次。宵中,忽有一鬼来,欲击童。童因起,谓曰:"谁敢近阳童者!"鬼即稽颡云:"实不知是阳使者。"童便敕使乘船,船飞迅驶,有过猛帆。至县,乃遣之。

王 仆 医 术

荥阳郑鲜之字道子，为尚书左仆射。女脚患挛癖，就王仆医。仆阳请水浇之，余浇庭中枯枣树。树既生，女脚亦差。

卷十

足下之称

介子推逃禄隐迹,抱树烧死。文公拊木哀嗟,伐而制屐。每怀割股之功,俯视其屐曰:"悲乎足下!""足下"之称,将起于此。

田文五月生

田文母嬖也,五月五日生文。父敕令勿举。母私举文,长成童,以实告之。遂启父曰:"不举五月子,何也?"父云:"生及户,损父。"文曰:"受命于天,岂受命于户? 若受命于户,何不高其户? 谁能至其户耶?"父知其贤,立为嗣。齐封为孟尝君。俗以五月为恶月,故忌。

吴客木雕

魏安釐王观翔雕而乐之,曰:"寡人得如雕之飞,视天下如芥也。"吴客有隐游者闻之,作木雕而献之王。王曰:"此有形无用者也。夫作无用之器,世之奸民也。"召隐游,欲加刑焉。隐游曰:"臣闻大王之好飞也,故敢献雕。安知大王之恶此也? 可谓知有用之雕鸟,未悟无用之雕鸟也。今臣请为大王翔之。"乃取而骑焉,遂翻然飞去,莫知所之。雕一作鹄。

颜乌纯孝

东阳颜乌,以纯孝著闻。后有群乌衔鼓,集颜所居之村。乌口皆伤,一境以为颜至孝,故慈乌来萃。衔鼓之兴,欲令聋者远闻。即于鼓处立县，而名为乌伤。王莽改为乌孝，以彰其行迹云。

曹 娥 碑

孝女曹娥者，会稽上虞人也。父盱，能弦歌，为巫。汉安帝二年五月五日，于县江溯涛迎婆娑神，溺死，不得尸骸。娥年十四，乃缘一作循。江号哭，昼夜不绝声。七日，遂投江而死。三日后，与父尸俱出。至元嘉元年，县长度尚改葬娥于江南道傍，为立碑焉。陈留蔡邕字伯喈，避难过吴，读《曹娥碑》文，以为诗人之作，无诡妄也。因刻石旁作"黄绢幼妇，外孙齑臼"八字。魏武见而不能了，以问群僚，莫有解者。有妇人浣于江渚，曰："第四车解。"既而，祢正平也。衡即以离合义解之。或谓此妇人即娥灵也。

管 宁 思 过

管宁字幼安，避难辽东。后还，泛海遭风，船垂倾没。宁潜思良久，曰："吾尝一朝科头，三晨晏起。今天怒猥集，过恐在此。"

徐 邈 私 饮

魏徐邈字景山，为尚书郎。时禁酒而邈私饮，至于沈醉。从事赵达问以曹事，邈曰："中圣人。"达白太祖，太祖甚怒徐邈。鲜于辅进曰："醉客谓清酒为圣人，浊酒为贤人。邈性修慎，偶醉言耳。"由是得免。后文帝幸许昌，见邈，问曰："颇复'中圣人'否？"对曰："昔子反毙于穀阳，御叔罚于饮酒。臣嗜同二子，不能自惩。时复中之。"帝大笑，顾左右曰："名不虚立。"

妒 妻 绝 嗣

贾充字公闾，平阳襄陵人也。妻郭氏，为人凶妒。生儿犁民，年始三岁,乳母抱之当阁,犁民见充外入,喜笑。充就乳母怀中鸣撮。郭遥见,谓充爱乳母,即鞭杀之。儿恒啼泣,不食他乳。经日遂死。郭于是终身无子。

满 奋 膏 汗

晋司隶校尉高平满奋,字武秋,丰肥,肉溃肤裂。每至暑夏,辄膏汗流溢。其有爱妾,夜取以燃照,炎灼发于屋表。奋大恶之,悉盛而埋之。暨永嘉之乱,为胡贼所烧,皎若烛光。

雷 震 不 惊

晋滕放太元初,夏枕文石枕卧,忽暴雨,雷震其枕。枕四解,傍人莫不怖惧;而放独自若,云:“微觉有声,不足为惊。”

周 虓 守 节

浔阳周虓,字孟威,晋宁康中,镇于巴西,为符坚所获,守节不屈。坚使使者道虓清道,虓躬治迳陌,谓使者曰:“烦君与语氐贼符坚,何至仰烦国士如此?”又潜图袭坚。坚闻之,曰:“獠子正欲觅死。杀之,适足成其名耳。”乃苦加拷楚,不食而卒。敛已经旬,坚怒犹未歇。剖棺临视虓尸,歘回眸断齿,鬓髭张列,睛瞳明亮,回盼瞩坚。坚睹而喜称,乃厚加赠赙。

掘 金 相 让

汝南殷陶,市同县张南宅。掘地,得钱百万、金千斤,即以还南。南曰:“君至德感神,宝为君出。”终不肯受。陶送付县。

投 笺 河 伯

河内苟儒，字君林，乘冰省舅氏，陷河而死。兄伦，字君文，求尸积日不得，设祭冰侧。又笺与河伯。投笺一宿，岸侧冰开，尸手执笺浮出，伦又笺谢。

张 贞 妇

蜀郡张贞行船覆，溺死。贞妇黄因投江就之。积十四日，执夫手俱浮出。

杨 香 扼 虎

顺阳南乡杨丰，与息名香于田获粟，因为虎所噬。香年十四，手无寸刃，直扼虎颈。丰遂得免。香以诚孝，至感猛兽，为之逡巡。太守平昌孟肇之赐贷之谷，旌其门闾焉。

崔 景 贤 惠 政

崔景贤为平昌郡守，有惠民政。尝悬一蒲鞭，而未尝用。

任 城 王 沉 饮

任城王六月沉饮，忽失所在。人以为中酒毒而化。

刘 邕 嗜 痂

东莞刘邕，性嗜食疮痂，以为味似鳆鱼。尝诣孟灵休，灵休先患灸，疮痂落在床，邕取食之。灵休大惊，痂未落者，悉褫取啖邕。南康国吏二百许人，不问有罪无罪，递与鞭，疮痂常以给膳。

孙广忌虱

太原孙广，头上不得有虱。大者便遭期丧大功，小则小功缌服。

刘傩䴔

有人姓刘，在朱方，人不得共语。若与之言，必遭祸难，或本身死疾。惟一士谓无此理，偶值人有屯塞耳。刘闻之，忻然而往，自说被谤，君能见明。答云："世人雷同，亦何足恤？"须臾火燎，资蓄服玩荡尽。于是举世号为刘傩䴔。脱遇诸涂，皆闭车走马，掩目奔避。刘亦杜门自守。岁时一出，则人惊散，过于见鬼。

扬贶藏镪

晋陵曲阿扬贶，一作汤贶。财数千万。三吴人多取其直，为商贾治生，辄得倍直。或行长江，卒遇暴风及劫盗者，若投贶钱，多获免济。贶死后，先所埋金，皆移去邻人陈家。陈尝晨起，见门外忽有百许万镪，封题是"扬贶"姓字。然后知财物聚散，必由天运乎？

予尝以古今怪异之事，不可胜纪。及读刘敬叔《异苑》，几备矣。然载秦世谣而不及仲舒修履之奇，载高陵龟而不及毛宝铸印之验。陈仲弓德星可采，而客星犯座胡以独遗？沙门慧炽真奇，而佛图澄岂容尽逸？至于络丝之女、鞠通之琴，及郭璞、韩友、杜不愆辈种种异趣，悉不一收，不知敬叔意何居也？姑存之，以俟博览者广焉。湖南毛晋识。

幽　明　录

[南朝宋] 刘义庆　撰

王根林　校点

校 点 说 明

　　《幽明录》,南朝宋刘义庆撰。刘义庆(403—444),彭城(今江苏徐州)人,刘宋宗室,袭封临川王。曾任南兖州刺史、荆州刺史、都督加开府仪同三司等职。寡嗜欲,喜文学,招纳文士,撰集著述多种。其中《世说新语》是当时志人小说的代表作,本书则是志怪小说的代表作。

　　书名"幽"、"明"二字,分别代表鬼神和人间世界,本书力求探索二者之间的关系,因而带有明显的因果轮回的消极成分。但在客观上,它也反映了人世间的现实和人们追求美好生活的愿望。其中比较突出的,是写青年男女对自由爱情的向往,爱情的力量可以冲破人与神、生与死的界限。书中还生动地反映了不同历史时期的社会思潮,如汉代重儒尊经,老狸也能化为人与董仲舒论五经;魏晋尚清谈,公鸡也会和人谈玄理。不少情节奇幻的故事,则是佛教对中国本土文学产生巨大影响的折射。很多故事,成为唐代传奇、清代小说取资的素材。

　　《幽明录》大约在宋代已亡佚,后人只能从《世说新语》的刘孝标注和一些类书中辑集它的佚文。鲁迅在本世纪初从大量文献辑得本书佚文,收入《古小说钩沉》,堪称该备。今即以此本为底本,作分段标点。底本有误者,则据其他版本、有关类书或正史予以校正,不出校记。

幽明录

庙方四丈，不作墉壁。道广五尺，夹树兰香。斋者煮以沐浴，然后亲祭，所谓"浴兰汤"。

海中有金台，出水百丈，结构巧丽，穷尽神工，横光岩渚，竦曜星汉。台内有金几，雕文备置，上有百味之食，四大力神常立守护。有一五通仙人来，欲甘膳，四神排击，延而退。

邺城凤阳门五层楼，去地二十丈，长四十丈，广二十丈，安金凤皇二头于其上。石季龙将衰，一头飞入漳河，清朗见在水底；一头今犹存。

始兴县有皋天子国。因山崎岖，十有余里，坑堑数重，阡陌交通。城内堂基碎瓦，柱穿犹存。东有皋天子冢。皋天子，未之闻也。

始兴县有羊天子城，城东有冢。昔有发之者，垂陷，而冢里有角声震于外，惧而塞之。

始兴灵水，源有汤泉。每至霜雪，见其上烝气高数十丈，生物投之，须臾便熟。泉中常有细赤鱼出游，莫有获者。

艾县辅山有温冷二泉，同出一山之足。两泉发源，相去数尺。热泉可煮鸡豚，冰泉常若冰生。双流数丈而合，俱会于一溪。

襄邑县南濑乡，老子之旧乡也。有老子庙，庙中有九井，能洁斋入祠者，水温清随人意念。

始安熙平县东南有山，山西其形长狭，水从下注塘，一日再减盈缩，因名为"朝夕塘"。

耒阳县东北有芦塘，淹地八顷，其深不可测。中有大鱼，常至五日一跃奋出水，大可三围，其状异常。每跃出水，则小鱼奔迸，随水上岸，不可胜计。

宜都建平二郡之界，有五六峰，参差互出。上有倚石，如二人像，攘袂相对。俗谓二郡督邮争界于此。

武昌阳新县北山上有望夫石，状若人立。相传：昔有贞妇，其夫从役，远赴国难，妇携弱子，饯送此山，立望夫而化为立石，因以为名焉。

巴丘县自金冈以上二十里，名黄金潭，莫测其深；上有濑，亦名黄金濑。古有钓于此潭，获一金锁，引之，遂满一船。有金牛出，声貌莽壮。钓人被骇，牛因奋勇跃而还潭，锁乃将尽，钓人以刀斫得数尺。潭、濑因此取名。

淮南牛渚津水极深，无可算计，人见一金牛，形甚瑰壮，以金为锁绊。

庐山自南行十余里，有鸡山，山有石鸡，冠距如生。道士李镇于此下住，常宝玩之。鸡一日忽摧毁，镇告人曰："鸡忽如此，吾其终乎？"因与知故诀别，后月余遂卒。

三峰最为竦桀，自非清霁素朝，不可望见。峰下有泉，飞流如舒一匹绢，分映青林，直注山下。虽纤罗不动，其上翛翛，恒凄清风也。

宫亭湖边傍山间，有石数枚，形圆若镜，明可以鉴人，谓之石镜。后有行人过，以火燎一枚，至不复明，其人眼乃失明。

山阴县九侯神山上有灵坛，坛前有古井，常无水，及请告神，水即涌出，供用足，乃复渐止。

谯县城东，因城为台，方二十丈，高八尺，一曰：古之葬也，魏武帝即筑以为台，东面墙崩，金玉流出，取者多死，因复筑之。

乐安县故市经荒乱，人民饿死，枯骸填地。每至天阴将雨，辄闻吟啸呻叹声聒于耳。

平都县南陂上有冢，行人于陂取得鲤，道逢冢中人来云："何敢取吾鱼？"夺著车上而去。

广陵有冢，相传是汉江都王建之墓也。常有村人行过，见地有数十具磨，取一具持归。暮即叩门求磨甚急，明旦送著故处。

广陵露白村人，每夜辄见鬼怪，咸有异形丑恶。怯弱者莫敢过。村人怪如此，疑必有故，相率得十人，一时发掘，入地尺许，得一朽烂方相头。访之故老，咸云："尝有人冒雨送葬，至此遇劫，一时散走，方相头陷没泥中。"

硕县下有眩潭，以视之眩人眼，因以为名。旁有田陂，昔有人船行过此陂，见一死蛟在陂上不得下。无何，见一人，长壮乌衣，立于岸侧，语行人云："吾昨下陂，不过而死，可为报眩潭。"行人曰："眩潭无人，云何可报？"乌衣人云："但至潭，便大言之。"行人如其旨，须臾，潭中有号泣声。

东莱人性灵，作酒多醇，浊而更清，二人曰以是醇□。

楚文王少时好猎，有一人献一鹰，文王见之，爪距神爽，殊绝常鹰。故为猎于云梦，置网云布，烟烧张天，毛群羽族，争噬竞搏。此鹰轩颈瞪目，无搏噬之志。王曰："吾鹰所获以百数，汝鹰曾无奋意，将欺余耶？"献者曰："若效于雉兔，臣岂敢献？"俄而，云际有一物凝翔，鲜白不辨其形，鹰便竦翮而升，蠢若飞电。须臾，羽堕如雪，血下如雨，有大鸟堕地，度其两翅，广数十里，众莫能识。时有博物君子曰："此大鹏雏也。"文王乃厚赏之。

汉武帝常微行过人家，家有婢，国色，帝悦之，因留宿，夜与婢□。有书生亦家宿，善天文。忽见客星移掩帝座甚逼，书生大惊跃，连呼咄咄，不觉声高。乃见一男子，操刀将欲入户，闻书生声急，谓为己故，遂蹙缩走，客星应时即退。帝闻其声，异而召问之，书生具说所见，乃悟曰："此人是婢婿，将欲肆其凶于朕。"乃召羽林，语主人曰："朕，天子也。"于是擒奴伏诛，厚赐书生。

汉武见物如牛肝，入地不动，问东方朔，朔曰："此积愁之气，惟酒可以忘愁，今即以酒灌之，即消。"

汉武帝在甘泉宫，有玉女降，常与帝围棋相娱。女风姿端正，帝密悦，乃欲逼之。女因唾帝面而去，遂病疮经年。故《汉书》云："避暑甘泉宫，正其时也。"

甘泉王母降。

汉武帝与群臣宴于未央，方啖黍臛，忽闻人语云："老臣冒死自诉。"不见其形，寻觅良久，梁上见一老翁长八九寸，面目赪皱，须发皓白，拄杖偻步，笃老之极。帝问曰："叟姓字何？居在何处？何所病苦，而来诉朕？"翁缘柱而下，放杖稽首，默而不言。因仰头视屋，俯指帝脚，忽然不见。帝骇愕不知何等，乃曰："东方朔必识之。"于是召方朔以告，朔曰："其名为'藻兼'，水木之精也。夏巢幽林，冬潜深河。

陛下顷日频兴造宫室，斩伐其居，故来诉耳。仰头看屋，而复俯指陛下脚者，足也。愿陛下宫室足于此也。"帝感之。既而息役。幸瓠子河，闻水底有弦歌之声，前梁上翁及年少数人，绛衣素带，缨佩甚鲜，皆长八九寸，有一人，长尺余，凌波而出，衣不沾濡，或有挟乐器者。帝方食，为之辍膳，命列坐于食案前。帝问曰："闻水底奏乐，为是君耶？"老翁对曰："老臣前昧死归诉，幸蒙陛下天地之施，即息斧斤，得全其居，不胜欢喜，故私相庆乐耳！"帝曰："可得奏乐否？"曰："故赍乐来，安敢不奏？"其最长人便治弦而歌，歌曰："天地德兮垂至仁，愍幽魄兮停斧斤。保窟宅兮庇微身，愿天子兮寿万春！"歌声小大无异于人，清彻绕越梁栋。又二人鸣管抚节调契声谐。帝欢悦，举觞并劝曰："不德不足当雅贶。"老翁等并起拜爵，各饮数升不醉。献帝一紫螺壳，中有物状如牛脂。帝问曰："朕暗，无以识此物。"曰："东方生知之耳！"帝曰："可更以珍异见贻。"老翁顾命，取洞穴之宝。一人受命，下没渊底，倏忽还到，得一大珠，径数寸，明耀绝世，帝甚爱玩。翁等忽然而隐。帝问朔："紫螺壳中何物？"朔曰："是蛟龙髓，以傅面，令人好颜色；又女子在孕，产之必易。"会后宫难产者，试之，殊有神效。帝以脂涂面，便悦泽。又曰："何以此珠名洞穴珠？"朔曰："河底有一穴，深数百丈，中有赤蚌，蚌生珠，故以名焉。"帝既深叹此事，又服朔之奇识。

汉武帝以玄豹白凤膏磨青锡屑，以酥油和之为灯，虽雨中灯不灭。

董仲舒尝下帷独咏，忽有客来，风姿音气，殊为不凡，与论《五经》，究其微奥。仲舒素不闻有此人而疑其非常。客又曰："欲雨。"因此戏之曰："巢居知风，穴居知雨。卿非狐狸，即是鼹鼠！"客闻此言，色动形坏，化成老狸，蹶然而走。

文翁常欲断大树，砍断处去地一丈八尺，翁先祝曰："吾若得二千石，斧当著此处。"因掷之，中所砍一丈八尺处。后果为郡。

长安有张氏者，昼独处室，有鸠自入，止于对床。张恶之，披怀祝曰："鸠，尔来为我祸耶止承尘，为我福耶入我怀。"鸠翻飞入怀，以手探之，不知所在，而得一金带钩焉。遂宝之。自是之后，子孙昌盛。

汉何比干梦有贵客，车骑满门，觉，以语妻子。未已，门首有老姥，年可八十余，求避雨，雨甚盛而衣不沾濡。比干延入，礼待之，乃曰："君先出自后稷，佐尧，至晋有阴功，今天赐君策。"如简，长九寸，凡九百九十枚以授之，曰："子孙能佩者富贵。"言讫出门，不复见。

汉建武元年，东莱人姓也，家尝作酒垆，入内政见三奇客，共持曲饭至抒其酒饮，异以饭曲代处，而三鬼相与醉于林中。

汉明帝永平五年，剡县刘晨、阮肇共入天台山取谷皮，迷不得返，经十三日，粮食乏尽，饥馁殆死。遥望山上有一桃树，大有子实，而绝岩邃涧，永无登路。攀援藤葛，乃得至上。各啖数枚，而饥止体充。复下山，持杯取水，欲盥漱，见芜菁叶从山腹流出，甚鲜新，复一杯流出，有胡麻饭糁，相谓曰："此知去人径不远。"便共没水，逆流二三里，得度山出一大溪，溪边有二女子，姿质妙绝，见二人持杯出，便笑曰："刘、阮二郎，捉向所失流杯来。"晨、肇既不识之，缘二女便呼其姓，如似有旧，乃相见忻喜。问："来何晚邪？"因邀还家。其家筒瓦屋，南壁及东壁下各有一大床，皆施绛罗帐，帐角悬铃，金银交错。床头各有十侍婢，敕云："刘、阮二郎，经涉山岨，向虽得琼实，犹尚虚弊，可速作食。"食胡麻饭、山羊脯、牛肉甚甘美。食毕行酒，有一群女来，各持五三桃子，笑而言："贺汝婿来。"酒酣作乐，刘、阮忻怖交并。至暮，令各就一帐宿，女往就之，言声清婉，令人忘忧。十日后，欲求还去，女云："君已来是，宿福所牵，何复欲还邪？"遂停半年。气候草木是春时，百鸟啼鸣，更怀悲思，求归甚苦。女曰："罪牵君，当可如何？"遂呼前来女子有三四十人，集会奏乐，共送刘、阮，指示还路。既出，亲旧零落，邑屋改异，无复相识。问讯得七世孙，传闻上世入山，迷不得归。至晋太元八年，忽复去，不知何所。

曹娥父溺死，娥见瓜浮，得尸。

汉袁安父亡，母使安以鸡酒诣卜工，问葬地。道逢三书生，问安何之？具以告。书生曰："吾知好葬地。"安以鸡酒礼之，毕，告安地处云："当葬此地，世世为贵公。"便与别，数步顾视，皆不见。安疑是神人，因葬其地，遂登司徒，子孙昌盛，曰世五公焉。

陈仲举微时，常行宿主人黄申家。申妇夜产，仲举不知。夜三更，有扣门者，久许闻里有人应云："门里有贵人，不可前，宜从后门往。"俄闻往者还，门内者问之："见何儿？名何？当几岁？"还者云："是男儿，名阿奴，当十五岁。"又问曰："后当若为死？"答曰："为人作屋，落地死。"仲举闻此，默志之。后十五年，为豫章太守，遣吏往问昔儿阿奴所在家，云："助东家作屋，落地而死矣。"仲举后果大贵。

陇西秦嘉，字士会，俊秀之士。妇曰徐淑，亦以才美流誉。桓帝时，嘉为曹掾赴洛。淑归宁于家，昼卧，流涕覆面，嫂怪问之，云："适见嘉自说往津乡亭病亡，二客俱留，一客守丧，一客赍书还，日中当至。"举家大惊。书至，事事如梦。

常山张颢为梁相。天新雨后，有鸟如山鹊，飞翔稍下坠地。民争取，即化为一圆石。颢椎破之，得金印，文曰："忠孝侯印。"颢表上闻，藏之秘府。颢汉灵帝时至太尉。

冯贵，前汉汉桓帝贵人也，美艳绝双。死后卅余年，群贼发其冢，见贵人颜色如故。贼遂竞奸之，斗争相煞而死。

句章人至东野还，暮不至门，见路旁有小屋灯火，因投寄宿。有一小女，不欲与丈夫共处，呼邻家止宿。女自伴夜，共弹琴箜篌。至晓，此人谢去，问其姓字，女不答，弹弦而歌曰："连绵葛上藤，一援复一缊；欲知我姓名，姓陈名阿登。"

汉时太山黄原，平旦开门，忽有一青犬在门外伏守，备如家养。原继犬，随邻里猎，日垂夕，见一鹿，便放犬，犬行甚迟，原绝力逐终不及。行数里，至一穴，入百余步，忽有平衢，槐柳列植，行墙回匝。原随犬入门，列房栊户可有数十间，皆女子，姿容妍媚，衣裳鲜丽。或抚琴瑟，或执博棋。至北阁，有三间屋，二人侍直，若有所伺。见原，相视而笑："此青犬所致妙音婿也！"一人留，一人入阁。须臾，有四婢出，称太真夫人，白黄郎："有一女年已弱笄，冥数应为君妇。"既暮，引原入内。内有南向堂，堂前有池，池中有台，台四角有径尺穴，穴中有光映帷席。妙音容色婉妙，侍婢亦美。交礼既毕，宴寝如旧。经数日，原欲暂还报家，妙音曰："人神异道，本非久势。"至明日，解珮分袂，临阶涕泗，后会无期，深加爱敬："若能相思，至三月旦，可修斋洁。"四婢送出门，半日至家。情念恍忽，每至其期，常见空中有轺车仿佛若飞。

汉末大乱，颍川有人将避地他郡。有女七八岁，不能涉远，势不两全。道边有古冢穿败，以绳系女下之。经年余还，于冢寻觅，欲更殡葬。忽见女尚存，父大惊，问女得活意，女云："冢中有一物，于晨暮徐辄伸头翕气，为试效之，果觉不复饥渴。"家人于冢寻索此物，乃是大龟。

孙钟，吴郡富春人，坚之父也。少时家贫，与母居，至孝笃信，种瓜为业。瓜熟，有三少年容服妍丽，诣钟乞瓜。钟引入庵中，设瓜及饭，礼敬殷勤。三人临去，谓钟曰："蒙君厚惠，今示子葬地，欲得世世封侯乎？欲为数代天子乎？"钟跪曰："数代天子，故当所乐。"便为定墓。又曰："我司命也，君下山，百步勿反顾。"钟下山六十步，回看，并为白鹤飞去。钟遂于此葬母，冢上有气触天。钟后生坚，坚生权，权生亮，亮生休，休生和，和生皓，为晋所伐，降为归命侯。

董卓信巫，军中常有言祷祀求福。一日，从卓求布，仓卒与新布手巾。又求取笔，便捉以书手巾上。如作两口，一口大，一口小，相累于巾上。授卓曰："慎此也！"后卓为吕布所杀，后人乃知况吕布也。

魏武帝猜忌晋宣帝子非曹氏纯臣。又尝梦三匹马，在一槽中共食，意尤憎之。因召文、明二帝，告以所见，并云："防理自多，无为横虑。"帝然之。后果害族移器，悉如梦焉。

钟繇忽不复朝会，意性有异于常。寮友问其故，云："常有妇人来，美丽非凡。"问者曰："必是鬼物，可杀之。"后来，止户外曰："何以有相杀意？"元常曰："无此。"殷勤呼入，意亦有不忍，乃微伤之。便出去，以新绵拭血，竟路。明日，使人寻迹，至一大冢，棺中一妇人形体如生，白练衫，丹绣裲裆，伤一髀，以裲裆中绵拭血。自此便绝。

魏齐王芳时，中山有王周南者，为襄邑长。忽有鼠从穴出，语曰："周南，尔以某日死。"周南不应。至期，更冠帻皂衣而出，曰："周南，尔以日中死。"亦不应，鼠复入穴。日适中，鼠又冠帻而出，曰："周南，汝不应，我何道？"言绝，颠蹶而死，即失衣冠所在。就视之，与常鼠无异。

孙权时，南方遣吏献犀簪。吏过宫亭湖庐山君庙请福，神下教求簪，而盛簪器便在神前。吏叩曰："簪献天子，必乞哀念。"神云："临入石头，当相还。"吏遂去，达石头，有三尺鲤鱼跳入船，吏破腹得之。

孙权病，巫启云："有鬼著绢巾，似是故将相，呵叱初不顾，径进入宫。"其夜，权见鲁肃来，衣巾悉如其言。

吴兴钱乘，孙权时，曾昼卧久，不觉两吻沫出数升。其母怖而呼之，曰："适见一老公，食以熇筋，恨未尽而呼之。"乘本尪瘠，既尔之后，遂以力闻。官至无难监。

葛祚，吴时衡阳太守，郡境有大槎横水，能为妖怪。百姓为立庙，行旅祷祀，槎乃沉没；不者，槎浮，则船为之破坏。祚将去官，乃大具斤斧，将去民累。明日当至，其夜，闻江中呵呵有人声。往视，槎移去，沿流下数里，驻湾中，自此行者无复沉覆之患。衡阳人为祚立碑曰：正德祈禳，神木为移也。

吴时，有王姥，年九岁病死，自朝至暮复苏。云：见一老妪，挟将飞见北斗君，有狗如狮子大，深目，伏井栏中，云此天公狗也。

吴时，陈仙以商贾为事，驱驴行。忽过一空宅，广厦朱门，都不见人，仙牵驴入宿。至夜，闻有语声："小人无畏，敢见行灾？"便有一人径到仙前，叱之曰："汝敢辄入官舍！"时笼月暧昧，见其面上麚深，目无瞳子，唇褰齿露，手执黄丝。仙即奔走后村，具说事状。父老云："旧有恶鬼。"明日，看所见屋宅处，并高坟深壑。

吴末，中书郎失其姓名，夜读书。家有重门，忽闻外面门皆开，恐有急诏。户复开，一人有八尺许，乌衣帽，持杖坐床下，与之熟相视，吐舌至膝。于是大怖，裂书为火，至晓鸡鸣，便去。门户闭如故，其人平安。

邓艾庙在京口，上有一草屋。晋安北将军司马恬于病中，梦见一老翁曰："我邓公，屋舍倾坏，君为治之。"后访之，乃知艾庙，为立瓦屋。隆安中，有人与女子会于神座上，有一蛇来绕之数四匝。女家追寻见之，以酒脯祷祠，然后得解。

有人相羊叔子父墓，有帝王之气，叔子于是乃自掘断墓。后相者又云："此墓尚当出折臂三公。"祜工骑乘，有一儿五六岁，端明可喜。掘墓之后，儿即亡，羊时为襄阳都督，因盘马落地，遂折臂。于时士林咸叹其忠诚。

汉时,洛下有一洞穴,其深不测。有一妇人欲杀夫,谓夫曰:"未尝见此穴。"夫自逆视之,至穴,妇遂推下,经多时至底。妇于后掷饭物,如欲祭之。此人当时颠坠恍忽,良久乃苏,得饭食之,气力小强。周皇觅路,仍得一穴,便匍匐从就。崎岖反侧,行数十里,穴宽,亦有微明,遂得宽平广远之地。步行百余里,觉所践如尘,而闻糠米香,啖之,芬美过于充饥。即裹以为粮,缘穴行而食此物。既尽,复过如泥者,味似向尘,复赍以去。所历幽远,里数难详,□就明广。食所赍尽,便入一都。郛郭修整,宫馆壮丽,台榭房宇,悉以金魄为饰,虽无日月,而明逾三光。人皆长三丈,被羽衣,奏奇乐,非世间所闻。便告求哀,长人语令前去,从命前进。凡过如此者九处。最后所至,苦饥馁,长人指中庭一大柏树,近百围,下有一羊,令跪将羊须。初得一珠,长人取之,次将亦取,后将令啖,即得疗饥。请问九处之名,求停不去。答曰:"君命不得停,还问张华,当悉此间。"人便随穴而行,遂得出交郡。往还六七年间,即归洛。问华,以所得二物视之。华云:"如尘者是黄河下龙涎,泥是昆山下泥。九处地,仙名九馆大夫。羊为痴龙,其初一珠,食之与天地等寿,次者延年。后者充饥而已。"

嵩高山北有大穴,晋时有人误堕穴中,见二人围棋。下有一杯白饮,与堕者饮,气力十倍。棋者曰:"汝欲停此否?"堕者曰:"不愿停。"棋者曰:"从此西行有大井,其中有蛟龙,但投身入井,自当出。若饿,取井中物食之。"堕者如言,可半年,乃出蜀中。归洛下,问张华。华曰:"此仙馆。夫所饮者玉浆,所食者龙穴石髓。"

张华将败,有飘风吹衣轴,六七倚壁。

陈郡谢鲲,尝在一亭中宿。此亭从来杀人,夜四更末,有一人黄衣呼:"幼舆可开户。"鲲令申臂于窗中,于是授腕,鲲即极力而牵之,臂便脱,乃还去。明日,看,乃鹿臂,寻血,遂取获焉。

阮德如尝于厕见一鬼,长丈余,色黑而眼大,著皂单衣,平上帻,去之咫尺。德如心安气定,徐笑语之曰:"人言鬼可憎,果然!"鬼即赧愧而退。

阮瞻素秉无鬼论,世莫能难,每自谓理足可以辨正幽明。忽有一鬼，通姓名作客诣阮，寒温毕，即谈名理。客甚有才情，末及鬼神事，反覆甚苦，遂屈。乃作色曰："鬼神，古今圣贤所共传，君何独言无耶？仆便是鬼！"于是忽变为异形，须臾消灭。阮默然，意色大恶。后年余病死。

永嘉中，泰山巢氏先为相县令，居在晋陵。家婢采薪，忽有一人追之，如相问讯，遂共通情，随婢还家，仍住不复去。巢恐为祸，夜辄出婢。闻与婢讴歌言语，大小悉闻，不使人见，见形者唯婢而已。每与婢宴饮，辄吹笛而歌，歌云："闲夜寂已清，长笛亮且鸣。若欲知我者，姓郭字长生。"

晋永嘉之乱，郡县无定主，强弱相暴。宜阳县有女子，姓彭名娥，父母昆弟十余口，为长沙贼所攻。时娥负器出汲于溪，闻贼至，走还。正见坞壁已破，不胜其哀，与贼相格，贼缚娥驱出溪边，将杀之。溪际有大山，石壁高数十丈，娥仰天呼曰："皇天宁有神不？我为何罪，而当如此！"因奔走向山，山立开，广数丈，平路如砥。群贼亦逐娥入山，山遂隐合，泯然如初，贼皆压死山里，头出山外，娥遂隐不复出。娥所舍汲器化为石，形似鸡。土人因号曰石鸡山，其水为娥潭。

晋元帝世，有甲者，衣冠族姓，暴病亡。见人将上天诣司命，司命更推校，算历未尽，不应枉，召主者发遣令还。甲尤脚痛，不能行，无缘得归。主者数人共愁，相谓曰："甲若卒以脚痛不能归，我等坐枉人之罪。"遂相率具白司命，司命思之良久，曰："适新召胡人康乙者，在西门外，此人当遂死，其脚甚健，易之，彼此无损。"主者承敕出，将易之。胡形体甚丑，脚殊可恶，甲终不肯。主者曰："君若不易，便长决留此耳？"不获已，遂听之。主者令二人并闭目，俄忽，二人脚已各易矣。仍即遣之，豁然复生。具为家人说，发视果是胡脚，丛毛连结，且胡臭。甲本士，爱玩手足，而忽得此，了不欲见，虽获更活，每惆怅殆欲如死。旁人见识此胡者，死犹殡，家近在茄子浦。甲亲往视胡尸，果见其脚著胡体，正当殡敛，对之泣。胡儿并有至性，每节朔，儿并悲思，驰往抱甲脚号咷。忽行路想遇，便攀援啼哭。为此每出入时，恒令人守门，以防胡子。终身憎秽，未尝惧视。虽三伏盛暑，必复重衣，无暂露也。

王敦召吴猛，猛至江口，入水中，命船人并进。船至大雷，见猛行水上，从东北还逆船。弟子问其故，猛云："水神数兴波浪，贼害行旅，暂过约敕。"以真珠一握为信。

王敦近吴猛，恶之于坐，欻然失去。乃附载还南，一宿行千里，同行客视船下有两龙载船，皆不著水。

晋有干庆者，无疾而终。时有术士吴猛，语庆之子曰："干侯算未穷，方为请命，未可殡殓。"尸卧静舍，惟心下稍暖。居七日，时盛暑，庆形体向坏，猛凌晨至，教令属候气续为作水，令以洗，并饮漱，如此便退。日中许，庆苏焉，旋遂张目开口。尚未发声，阖门皆悲喜。猛又令以水含洒，遂起，吐腐血数升，稍能言语。三日，平复如常。说初见十数人来，执缚桎梏到狱。同辈十余人，以次语对。次未至，俄而见吴君北面陈释断之，王遂敕脱械令归。所经官府，莫不迎接。请谒吴君，而吴君皆与之抗礼，即不知悉何神也。

王丞相见郭景纯，请为一卦。卦成，郭意甚恶，云有震厄，公能命驾西出数里，得一柏树，截如公长，置常寝处，灾可消也。王从之，数日果震，柏木粉碎。

王丞相茂弘梦人欲以百万钱买大儿长豫，丞相甚恶之。潜为祈祷者备炭作屋，得一窖钱，料之，百万亿。大惧，一皆藏闭。俄而长豫亡。

中书郎王长豫有美名，父丞相导，至所珍爱。遇疾转笃，导忧念特至。正在北床上坐，不食已积日。忽见一人，形状甚壮，著铠持刀，王问："君是何人？"答曰："仆是蒋侯也，公儿不佳，欲为请命，故来耳。勿复忧。"王欣喜动容，即求食，食至数升，内外咸未达所以。食毕，忽复惨然谓王曰："中书命尽，非可救者。"言终不见也。

蔡谟在厅事上坐，忽闻邻左复魄声，乃出庭前望。正见新死之家，有一老妪，上著黄罗半袖，下着缥裙，飘然升天。闻一唤声，辄回顾，三唤三顾，徘徊良久。声既绝，亦不复见。问丧家，云亡者衣服如此。

某郡张甲者，与司徒蔡谟上有亲，侨住谟家。暂行数宿，过期不反。谟昼眠，梦甲云："暂行忽暴病，患心腹胀满，不得吐痢，某时死，主人殡殓。"谟悲涕相对。又云:"我病名乾霍乱,自可治也。但人莫知其药,故今死耳。"谟曰:"何以治之?"甲曰:"取蜘蛛,生断取脚而吞之,则愈。"谟觉,使人往甲行所验之,果死。问主人,病与时日,皆与梦符。后有患乾霍乱者,谟试用,辄差。

晋建武中,剡县冯法作贾。夕宿荻塘,见一女子,著缥服,白皙,形状短小,求寄载。明旦,船欲发,云暂上取行资。既去,法失绢一匹,女抱二束刍置船中。如此十上,失十绢。法疑非人,乃缚两足,女云:"君绢在前草中。"化形作大白鹭,烹食之,肉不甚美。

晋司空郗方回葬妇于离山,使会稽郡吏史泽治墓,多平夷古墓。后坏一冢,构制甚伟,器物殊盛。冢发,内闻鼓角声。时郗公自来观墓,俄而罕然,自是多如此。

晋南顿王平新营一宅,始移,梦见一人云:"平舆令王欲以一器金赂暴胜之,为暴所戮,埋金在吾上。见镇迮甚,若君复筑室,无复出入涯。"平明旦即凿壁下入五尺,果得金。

巴丘县有巫师舒礼,晋永昌元年病死,土地神将送诣太山。俗人谓巫师为道人,路过冥司福舍前,土地神问吏:"此是何等舍?"吏曰:"道人舍。"土地神曰:"是人亦道人。"便以相付。礼入门,见数千间瓦屋,皆悬竹帘,自然床榻,男女异处,有诵经者,呗偈者,自然饮食者,快乐不可言。礼文书名已到太山门,而身不至。推问土地神,神云:"道见数千间瓦屋,即问吏,言是道人,即以付之。"于是遣神更录取。礼观未遍,见有一人,八手四眼,提金杵,逐欲撞之。便怖走还出门,神已在门迎,捉送太山。太山府君问礼:"卿在世间,皆何所为?"礼曰:"事三万六千神,为人解除祠祀,或杀牛犊猪羊鸡鸭。"府君曰:"汝佞神杀生,其罪应上热熬。"使吏牵著熬所。见一物,牛头人身,捉铁叉,叉礼著投铁床上,宛转身体焦烂,求死不得。经一宿二日,备极冤楚。府君问主者:"礼寿命应尽?为顿夺其命?"校禄籍,余算八年。府君曰:"录来。"牛首人复以铁叉叉著熬边。府君曰:"今遣卿归,终毕余算。勿复杀生淫祀。"礼忽还活,遂不复作巫师。

晋太宁元年,余杭人姓王,失其名,往上舍,过庙乞福。既去,亡履,已行五六里,懒复更反取,一白衣人持履后至,云:"官使还君。"化为鹄,飞入田中。

晋太兴二年,吴氏华隆好猎,养一快犬,名曰的尾,常将自随。隆后至江边伐荻,犬暂出渚次。隆为大蛇所围,绕周身。犬还,便咋蛇,蛇死。隆僵仆无所知,犬仿佛涕泣。走还船,复反草中。其伴怪其所以,随往,见隆闷绝委地。将归家二日,犬为不食。隆复苏,乃始进饭。隆愈爱惜,同于亲戚。后忽失之,二年寻求,见在显山。

晋咸和初,徐精远行,梦与妻寝,有身。明年归,妻果产,后如其言矣。

牟腾以咸和三年为沛郡太守,出行不节,梦乌衣人告云:"何数出不辍?唯当断马足。"腾后出行,马足自断。腾行近郭外,忽然而暗。有一人,长丈余,玄冠白衣,遥叱将车人,使避之。俄而长人至,以马鞭击御者,即倒。既明,从人视车空,觅腾所在,行六七十步,见在榛莽中,隐几而坐,云了不自知。腾后五十日被诛。

晋咸康中,豫州刺史毛宝戍邾城。有一军人于武昌市买得一白龟,长四五寸,置瓮中养之。渐大,放江中。后邾城遭石氏败,赴江者莫不沉溺。所养人被甲入水中,觉如堕一石上。须臾视之,乃是先放白龟。既得至岸,回顾而去。

庾崇者,建元中于江州溺死,尔日即还家。见形一如平生,多在妻乐氏室中。妻初恐惧,每呼诸从女作伴。于是作伴渐疏,时或暂来,辄恚骂云:"贪与生者接耳!反致疑恶,岂副我归意邪?"从女在内纺绩,忽见纺绩之具在空中,有物拨乱,或投之于地,从女怖惧皆去。鬼即常见。有一男,才三岁,就母求食,母曰:"无钱,食那可得?"鬼乃凄怆,抚其儿头曰:"我不幸早世,令汝穷乏,愧汝念汝,情何极也!"忽见将二百钱置妻前,云可为儿买食。如此经年,妻转贫苦不立。鬼云:"卿既守节,而贫苦若此,直当相迎耳!"未几,妻得疾亡,鬼乃寂然。

石勒问佛图澄:"刘曜可擒,兆可见不?"澄令童子斋七日,取麻油掌中研之,燎旃檀而咒。有顷,举手向童子,掌内晃然有异。澄问:"有所见不?"曰:"唯见一军人,长大白皙,有异望,以朱缚其肘。"澄曰:"此即曜也。"其年,果生擒曜。

石虎时，太武殿图贤人之像，头忽悉缩入肩中。

新城县民陈绪家，晋永和中，旦闻扣门，自通云陈都尉。便有车马声，不见形，径进，呼主人共语曰："我应来此，当权住君家，相为致福。"令绪施设床帐于斋中。或人诣之，斋持酒礼求愿，所言皆验。每进酒食，令人跪拜授闱里，不得开视。复有一身，疑是狐狸之类，因跪急把取，此物却还床后，大怒曰："何敢嫌试都尉？"此人心痛欲死，主人为扣头谢，良久意解。自后众不敢犯，而绪举家无恙。每事益利，此外无多损益也。

晋升平元年，剡县陈素家富，娶妇十年，无儿。夫欲娶妾，妇祷祠神明，忽然有身。邻家小人妇亦同有，因货邻妇云："我生若男，天愿也；若是女，汝是男者，当交易之。"便共将许。邻人生男，此妇后三日生女，便交取之。素忻喜，养至十三，当祠祀。家有老婢，素见鬼，云："见府君先人，来至门首便住。但见一群小人来座所，食啖此祭。"父甚疑怪，便迎见鬼人至，祠时转令看，言语皆同。素便入问妇，妇惧，具说言此事。还男本家，唤女归。

晋升平末，故章县老公有一女，居深山，余杭□广求为妇，不许。公后病死，女上县买棺，行半道，逢广。女具道情事。女因曰："穷逼，君若能往家守父尸，须吾还者，便为君妻。"广许之。女曰："我栏中有猪，可为杀以饴作儿。"广至女家，但闻屋中有抃掌欣舞之声。广披离，见众鬼在堂，共捧弄公尸。广把杖大呼入门，群鬼尽走。广守尸，取猪杀。至夜，见尸边有老鬼，伸手乞肉。广因捉其臂，鬼不得去，持之愈坚。但闻户外有诸鬼共呼云："老奴贪食至此，甚快。"广语老鬼："杀公者必是汝，可速还精神，我当放汝；汝若不还者，终不置也。"老鬼曰："我儿等杀公。"比即唤鬼子："可还之。"公渐活，因放老鬼。女载棺至，相见惊悲，因取女为妇。

苻坚时，有射师经嵩山。望见松柏上有一双白鸟，似鹄而大。至树下，又见一蛇，长五丈许，上树取鸟。未至鸟一丈，鸟便欲飞，蛇张口翕之，鸟不得去。缤纷一食顷，鸟转欲困，射师彀弩射三矢，蛇陨而鸟得颰。去树百余步，山边整理毛羽。须臾，云晦雷发，惊耳骇目，射师慑，不得旋踵。见向鸟徘徊其上，毛落纷纷，似如相援。如此数阵，雷息电灭，射师得免，鸟亦高飞。

晋司空桓豁在荆州，有司空蒚五月五日鸲鹆舌，教令学语，遂无所不名，与人相问。顾参军善弹琵琶，鸲鹆每立听移时。又善能效人语笑声。司空大会吏佐，令悉效四座语，无不绝似。有生齇鼻，语难学，学之不似；因内头于瓮中以效焉，遂与齇者语声不异。主典人于鸲鹆前盗物，参军如厕，鸲鹆伺无人，密白主典人盗某物，将军衔之而未发。后盗牛肉，鸲鹆复白，参军曰："汝云盗肉，应有验。"鸲鹆曰："以新荷裹著屏风后。"检之，果获，痛加治，而盗者患之，以热汤灌杀。参军为之悲伤累日，遂请杀此人，以报其怨。司空教曰："原杀鸲鹆之痛，诚合治杀，不可以禽鸟故，极之于法。"令止五岁刑也。

桓冲镇江陵，正会夕当烹牛。牛忽熟视帐下都督甚久，目中泣下。都督咒之曰："汝若能向我跪者，当启活也。"牛应声而拜，众甚异之。都督复谓曰："汝若须活，遍拜众人者，直往。"牛涕殒如雨，遂拜不止。值冲醉，不得启，遂杀牛。冲醉止得启，冲闻之叹息，都督痛加鞭罚。

晋桓豹奴为江州时，有甘录事者，家在临川郡治下。儿年十三，遇病死，埋著家东群冢之间。旬日，忽闻东路有打鼓倡乐声，可百许人，径到甘家，问："录事在否？故来相诣，贤子亦在此。"止闻人声，亦不见其形也。乃出数瓮酒与之，俄顷失去，两瓮皆空。始闻有鼓声，临川太守谓是人戏，必来诣己，既而寂尔不到。甘说之，大惊。

王辅嗣注《易》，辄笑郑玄为儒，云"老奴甚无意"。于时夜分，忽然闻门外阁有著屐声。须臾进，自云郑玄，责之曰："君年少，何以轻穿文凿句，而妄讥消老子邪？"极有忿色，言竟便退。辅心生畏恶，经少时，遇厉疾卒。

谢安石当桓温之世，恒惧不全。夜忽梦乘桓舆行十六里，见一白鸡而止，不得复前，莫有解此梦者。温死后，果代居宰相，历十六年，而得疾。安方悟云："乘桓舆者，代居其位也；十六里者，得十六年也；见白鸡住者，今太岁在酉，吾病殆将不起乎？"少日而卒。

陈相子，吴兴乌程人，始见佛家经，遂学升霞之术。及在人间斋，辄闻空中殊音妙香，芬芳清越。

安开者，安城之俗巫也，善于幻术。每至祠神时，击鼓宰三牲，积薪然火盛炽，束带入火中，章纸烧尽，而开形体衣服犹如初。时王凝之为江州，伺王当行，阳为王刷头，簪荷叶以为帽，与王著。当是亦不觉帽之有异，到坐之后，荷叶乃见，举坐惊骇，王不知。

晋左军琅邪王凝之夫人谢氏，顿亡二男，痛惜过甚，衔泪六年。后忽见二儿俱还，并著械，慰其母曰："可自割，儿并有罪谪，宜为作福。"于是得止哀，而勤为求请。

晋世王彪之，年少未官。尝独坐斋中，前有竹，忽闻有叹声，彪之惕然，怪似其母，因往看之，见母衣服如昔。彪之跪拜歔欷，母曰："汝方有奇厄，自今已去。当日见一白狗，若能东行出千里，三年，然后可得免灾。"忽不复见。彪之悲怅达旦。既明，独见一白狗，恒随行止。便经营行装，将往会稽。及出千里外，所见便萧然都尽。过三年乃归，斋中复闻前声，往见母如先，谓曰："能用吾言，故来庆汝。汝自今已后，年逾八十，位班台司。"后皆如母言。

晋海西公时，有一人母终，家贫，无以葬。因移枢深山，于其侧志孝结坟，昼夜不休。将暮，有一妇人抱儿来寄宿。转夜，孝子未作竟，妇人每求眠，而于火边睡，乃是一狸抱一乌鸡。孝子因打杀，掷后坑中。明日，有男子来问："细小昨行，遇夜寄宿，今为何在？"孝子云："止有一狸，即已杀之。"男子曰："君枉杀吾妇，何得言狸？狸今何在？"因共至坑视，狸已成妇人，死在坑中。男子因缚孝子付官，应偿死。孝子乃谓令曰："此实妖魅，但出猎犬，则可知魅。"令因问猎事："能别犬否？"答云："性畏犬，亦不别也。"因放犬，便化为老狸，则射杀。视之，妇人已还成狸。

桓温北征姚襄，在伊水上，许逊曰："不见得襄而有大功，见襄走入太玄中。"问曰："太玄是何等也？"答曰："南为丹野，北为太玄，必西北走也。"果如其言。

桓大司马镇赭圻时，有何参军晨出，行于田野中，溺死人髑髅上。还，昼寝，梦一妇人语云："君是佳人，何以见秽污？暮当令知之！"是时有暴虎，人无敢行夜出者，何常穴壁作溺穴。其夜，趋穴欲溺，虎怒溺，断阴茎，即死。

　　桓温内怀无君之心，时比丘尼从远来，夏五月，尼在别室浴，温窃窥之。见尼裸身，先以刀自破腹，出五藏，次断两足，及斩头手。有顷浴竟，温问："向窥见尼，何得自残毁如此？"尼云："公作天子，亦当如是。"温惆怅不悦。

　　陈郡袁真在豫州，送妓女阿薛、阿郭、阿马三人与桓宣武。至经时，三人共出庭前观望，见一流星，直堕盆水中。薛、郭二人更以瓢取，皆不得；阿马最后取星，正入瓢中。使饮之，即觉有妊，遂生桓玄。

　　习凿齿为荆州主簿，从桓宣武出猎，见黄物，射之，即死，是老雄狐，臂带绛绫香囊。

　　桓大司马温时，有参军夜坐，忽见屋梁栋间，有一伏兔，张目切齿而向之，甚可畏。兔来转近，遂引刀而斫之，见正中兔，而实反伤其膝，流血滂沱。深怪此意，命家中悉藏刀刃，不以自近。后忽复见如前，意回惑，复索刀重斫，因伤委顿。幸刀不利，故不至死，再过而止。

　　顾长康在江陵爱一女子，还家，长康思之不已，乃画作女形，簪著壁上。簪处正刺心，女行十里，忽心痛如刺，不能进。

　　刘琼善弹琴，忽得困病，许逊曰："近见蒋家女鬼相录在山石间，专使弹琴作乐，恐欲致灾也。"琼曰："吾常梦见女子将吾宴戏，恐必不免。"逊笑曰："蒋姑相爱重，恐不能相放耳。已为谋之，今去，当无患也。"琼渐差。

　　陶公在寻阳西南一塞取鱼，自谓其池曰"鹤门"。

　　许逊少孤，不识祖墓，倾心所感，忽见祖语曰："我死三十余年，于今得正葬，是汝孝悌之至。"因举标榜曰："可以此下求我。"于是迎丧，葬者曰："此墓中当出一侯及小县长。"

　　桂阳罗君章，二十许，都未有意，不属意学问。常昼寝，梦得一鸟卵，五色杂耀，不似人间物，梦中因取吞之。于是渐有志向。遂勤学，读九经，以清才闻。

　　桓玄时，牛大疫，有一人食死牛肉，因得病亡。死时，见人执录，将至天上，有一贵人问云："此人何罪？"对曰："此人坐食疫死牛肉。"贵人云："今须牛以转输，既不能肉以充百姓食，何故复杀之？"催令还。既更生，具说其言。于是食牛肉者，无复有患。

吴北寺终祚道人卧斋中，鼠从坎出，言终祚后数日必当死。终祚呼奴令买犬，鼠云：“亦不畏此也。但令犬入此户，必死。”犬至，果然。终祚乃下声语其奴曰：“明日市雇十担水来。”鼠已逆知之，云：“止！欲水浇取我？我穴周流，无所不至。”竟日浇灌，了无所获。密令奴更借三十余人，鼠云：“吾上屋居，奈我何？”至时，处在屋上。奴名周，鼠云：“阿周盗二十万钱叛。”后试开库，实如所言也。奴亦叛去。终祚当为商贾，闭其户而谓鼠曰：“汝正欲使我富耳！今有远行，勤守吾房中，勿令有所零失也。”时桓温在南州禁杀牛，甚急。终祚载数万钱，窃买牛皮还东。货之，得二十万。还，室犹闭，一无所失，其怪亦绝。遂大富。

桓玄既肆无君之心，使御史害太傅道子于安城。玄在南州坐，忽见一平上帻人，持马鞭，通云：“蒋侯来。”玄惊愕然，便见阶下奴子御幰车，见一士大夫，自云是蒋子文：“君何以害太傅？与为伯仲。”顾视之间，便不复见。

桓玄在南郡国第居时，出诣殷荆州，于鹄穴逢一老公，驱一青牛，形色瑰异，桓即以所乘马易牛。乘至零陵溪，牛忽骏驶非常。因息驾饮牛，牛径入水不出。桓遣人觇守，经日绝迹也。

索元在历阳疾病，西界一年少女子姓某，自言为神所降，来与元相闻，许为治护。元性刚直，以为妖惑，收以付狱，戮之中于市中。女临死曰：“却后十日，当令索元知其罪。”如期，元果亡。

晋孝武帝母李太后本贱人，简文无子，曾遍令善相者相宫人，李太后给卑役不豫焉。相者指之：“此当生贵子，而有虎厄。”帝因幸之，生孝武帝、会稽王道子。既登尊位，服相者之见，而怪有虎厄，且生所未见，乃令人画作虎象。因以手抚，欲打虎戏，患手肿痛，遂以疾崩。

晋太元初，苻坚遣将杨安侵襄阳，其一人于军中亡，有同乡人扶丧归。明日应到家，死者夜与妇梦云：“所送者非我尸，仓乐面下者是也。汝昔为吾作结发犹存，可解看便知。”迄明日，送丧者果至，妇语母如此，母不然之。妇自至南丰，细检他家尸，发如先，分明是其手迹。

北府索卢贞者，本中郎荀羡之吏也。以晋太元五年六月中病亡，经一宿而苏。云见羡之子粹，惊喜曰："君算未尽，然官须得三将，故不得便尔相放。君若知有干捷如君者，当以相代。"卢贞即举龚颖，粹曰："颖堪事否？"卢贞曰："颖不复下已。"粹初令卢贞疏其名，缘书非鬼用，粹乃索笔自书之。卢贞遂得出。忽见一曾邻居者，死亡七八年矣，为太山门主，谓卢贞曰："索都督独得归邪？"因嘱卢贞曰："卿归，为谢我妇。我未死时，埋万五千钱于宅中大床下。我乃本欲与女市钏，不意奄，终不得言于女妻也。"卢贞许之。及苏，遂使人报其妻，已卖宅移居武进矣。固往语之，仍告买宅主，令掘之，果得钱如其数焉。即遣其妻与女市钏。寻而龚颖亦亡，时果共奇其事。

琅邪人，姓王，忘名，居钱塘。妻朱氏，以太元九年病亡，有二孤儿。王复以其年四月暴死，三日，而心下犹暖，经七日方苏。说：初死时，有二十余人，皆乌衣，见录。录去到朱门白壁，状如宫殿。吏朱衣紫带，玄冠介帻。或所被著，悉珠玉相连结，非世中仪服。复前，见一人长大，所著衣状如云气。王向叩头，自说："妇已亡，余孤儿，尚小，无奈何。"便流涕。此人为之动容，云："汝命自应来，以汝孤儿，特与三年之期。"王又曰："三年不足活儿。"左右有一人语云："俗尸何痴？此间三年，世中是三十年。"因便送出。又三十年，王果卒。

晋太元十年，阮瑜之居在始兴佛图前，少孤贫不立，哭泣无时。忽见一鬼书砖著前云："父死归玄冥，何为久哭泣？即后三年中，君家可得立。仆当寄君家，不使有损失。勿畏我为凶，要为君作吉。"后鬼恒在家，家须用者，鬼与之。二三年，用小差，为鬼作食，共谈笑语议。阮问姓，答云："姓李名留之，是君姊夫耳。"阮问："君那得来？"鬼云："仆受罪已毕，今暂生鬼道，权寄君家，后四五年当去。"曰："复何处去？"答云："当生世间。"至期，果别而去。

晋太元中，瓦官寺佛图前淳于矜，年少洁白。送客至石头城南，逢一女子，美姿容。矜悦之，因访问。二情既和，将入城北角，共尽欢好，便各分别。期更克集，便欲结为伉俪。女曰："得婿如君，死何恨？我兄弟多，父母并在，当问我父母。"矜便令女婢问其父母，父母亦悬许之。女因敕婢取银百斤，绢百匹，助矜成婚。经久，养两儿。当作秘书监，明日，驺卒来召，车马导从，前后部鼓吹。经少日，有猎者过，觅矜，将数十狗，径突入，咋妇及儿，并成狸。绢帛金银，并是草及死人骨蛇魅等。

晋太元中，高衡为魏郡太守，戍石头。其孙雅之在厩中，云有神来降，自称白头公，拄杖，光耀照屋。与雅之轻举霄行，暮至京口，晨已来还。后雅之父子为桓玄所灭。

大元中，临海有李巫，不知所由来。能卜相作，水符治病多愈，亦礼佛读经。语人云："明年天下当大疫，此境尤剧。又，二纪之后，此邦之西北大郡，僵尸横路。"时汝南周叔道罢临海令，权停家。巫云："周令今去宜南行，必当暴死。"便指北山曰："后二十日，此应有异事彰也。"后十日余，大石夜颓落百丈，砰礚若雷。庾楷为临海太守，过诣周，设馔作伎。至夜，庾还航中，天晓。庾自披屏风，呼："叔道，何痴不起？"左右忙看，气绝久矣。到明年，县内病死者数千人。

泰元中，有一师从远来，莫知所出，云："人命应终，有生乐代死者，则死者可生。若逼人求代，亦复不过少时。"人闻此，咸怪其虚诞。王子猷、子敬兄弟特相和睦。子敬疾，属纩，子猷谓之曰："吾才不如弟，位亦通塞，请以余年代弟。"师曰："夫生代死者，以己年限有余，得以足亡者耳。今贤弟命既应终，君侯算亦当尽，复何所代？"子猷先有背疾，子敬疾笃，恒禁来往。闻亡，便抚心悲惋，都不得一声，背即溃裂。推师之言，信而有实。

王允、祖安国、张显等，以太元中乘船。见仙人赐糖饴三饼，大如比输钱，厚二分。

大元中，北地人陈良，与沛国刘舒友善。又与同邻李焉，共为商贾，曾获厚利，共致酒相庆，焉遂害良。以韦裹之，弃之荒草。经十许日，良复生归家。说：死时，见一人著赤帻引良去，造一城门，门下有一床，见一老人执朱笔点校。赤帻人言曰："向下土有一人，姓陈名良，游魂而已，未有统摄，是以将来。"校籍者曰："可令便去。"良既出，忽见友人刘舒，谓曰："不图于此相见。卿今幸蒙尊神所遣，然我家厕屋后桑树中有一狸，常作妖怪，我家数数横受苦恼。卿归，岂能为我说邪？"良然之。既苏，乃诣官疏李焉而伏罪。仍特报舒家，家人涕泣，云悉如言。因伐树得狸，杀之，其怪遂绝。

晋太元末，长星见，孝武甚恶之。是日，华林园中饮，帝因举杯属星曰："长星，劝尔一杯酒！自古亦何时有万岁天子？"取杯酬之。帝亦寻崩也。

南康宫亭庙，殊有神验。晋孝武世，有一沙门至庙，神像见之，泪出交流，因标姓字，则是昔友也。自说："我罪深，能见济脱不？"沙门即为斋戒诵经，语曰："我欲见卿真形。"神云："禀形甚丑，不可出也。"沙门苦请，遂化为蛇，身长数丈，垂头梁上，一心听经，目中血出。至七日七夜，蛇死，庙亦歇绝。

晋孝武帝于殿中北窗下清暑，忽见一人，著白夹黄练单衣，举身沾濡，自称华林园中池水神，名曰淋涔君也。若善见待，当相福祐。时帝饮已醉，取常所佩刀掷之。刀空过无碍，神忿曰："不以佳士垂接，当令知所以居。"少时，而帝暴崩。皆呼此灵为祸也。

义熙三年，山阴徐琦每出门，见一女子，貌极艳丽，琦便解臂上银钤赠之。女曰："感君来贶。"以青铜镜与琦，便尔结为伉俪。

晋义熙五年，彭城刘澄常见鬼。及为左卫司马，与将军巢营廨宇相接。澄夜相就坐语，见一小儿，赭衣，手把赤帜，团团似芙蓉花。数日，巢大遭火。

义熙七年，东阳费道思新娶得妇，相爱。妇梳头，道思戏拔银钗著户阁头。

晋义熙中，范寅为南康郡时，赣县吏说：先入山采薪，得二龟，皆如二尺盘大。薪未足，遇有两树骈生，吏以龟侧置树间，复行采伐。去龟处稍远，天雨，懒复取。后经十二年，复入山，见先龟，一者甲已枯；一者尚生，极长，树木所夹处，可厚四寸许，两头厚尺余，如马鞍状。

义熙中，江乘聂湖忽有一板，广数尺，长二丈余，恒停在此川溪，采菱及捕鱼者资以自济。后有数人共乘板入湖，试以刀斫，即有血出，板仍没，数人溺死。

河东贾弼之，小名翳儿，具谙究世谱。义熙中，为琅邪府参军。夜梦有一人，面戚疱，甚多须，大鼻瞬目，请之曰："爱君之貌，欲易头，可乎？"弼曰："人各有头面，岂容此理？"明昼又梦，意甚恶之。乃于梦中许易。明朝起，自不觉，而人悉惊走藏。云："那汉何处来？"琅邪王大惊，遣传教呼视，弼到琅邪，遥见起还内。弼取镜自看，方知怪异。因还家，家人悉惊入内，妇女走藏，云："那得异男子？"弼坐自陈说良久，并遣人至府检问，方信。后能半面啼，半面笑，两足、手、口、各捉一笔，俱书，辞意皆美。此为异也，余并如先。俄而安帝崩，恭帝立。

晋义熙中，羌主姚略坏洛阳阴沟取砖，得一双雄鹅，并金色，交颈长鸣，声闻九皋，养之此沟。

隆安初，陈郡殷氏为临湘令。县中一鬼，长三丈余，跂上屋，犹垂脚至地。殷入便来，命之。每摇屏风，动窗户，病转甚。其弟观亦见，恒拔刀在侧，与言争。鬼语云："勿为骂我，当打汝口破！"鬼忽隐形，打口流血。后遂㖞偏，成残废人。

安帝隆安初，雍州刺史高平郗恢家内，忽有一物如蜥蜴。每来辄先扣户，则便有数枚，便灭灯火，儿女大小，莫不惊惧。以白郗，不信，须臾即来。至龙安二年，郗恢与殷仲堪谋议不同，下奔京师，道路遇害，并及诸子。

晋安帝隆安初，曲阿民谢盛乘船，入湖采菱。见一蛟来向船，船回避，蛟又从其后。盛便以叉杀之，惧而还家，经年无患。至元兴中，普天亢旱，盛与同旅数人，步至湖中，见先叉在地，拾取之，云："是我叉。"人问其故，具以实对。行数步，乃得心痛，还家一宿便死。

殷仲宗以隆安初入蜀，为毛璩参军。至涪陵郡，暮宿在亭屋中。忽有一鬼，体上皆毛，于窗棂中执仲宗臂牵仲宗。大呼，左右来救之，鬼乃去。

晋隆安年中，颜从尝起新屋，夜梦人语云："君何坏我冢？"明日，床前掘除之，遂见一棺材。从便为设祭，云："今当移好处，别作小冢。"明朝，一人诣门求通，姓朱名护。列坐，乃言云："我居四十年，昨厚贶，相感何已！今是吉日，便可出棺矣。仆巾箱中有金镜以相助。"遂以棺头举巾箱，出金镜三双赠从。

晋安帝元兴中，一人年出二十，未婚对，然目不干色，曾无秽行。尝行田，见一女甚丽，谓少年曰："闻君自以柳李之俦，亦复有桑中之欢邪？"女便歌，少年微有动色。后复重见之，少年问姓，云："姓苏，名琼，家在涂中。"遂要还，尽欢。从弟便突入以杖打女，即化成雌白鹄。

晋元熙中，桂阳郡有一老翁，常以钓为业。后清晨出钓，遇大鱼食饵，掣纶甚急，船人奄然俱没。家人寻丧于钓所，见老翁及鱼并死，为钓纶所缠。鱼腹下有丹字，文曰："我闻曾潭乐，故从檐潭来。磔死弊老翁，持钓数见欺。好食赤鲤鲙，今日得汝为。"

孙恩作逆时，吴兴纷乱，一男子避急，突入蒋侯庙。始入门，木像弯弓射之，即死。行人及守庙者无不皆见也。

诸葛长民富贵后，尝一月或数十日辄于夜眠中惊起，跳踉如与人相打状。毛修之尝与同宿，骇愕不达此意，视之良久。长民告毛："此物奇健，非我无以制之。"毛曰："是何物？"长民曰："我正见一物甚黑，而手脚不分明。少日中多夕来，辄共斗，深自惊惧焉。"屋中柱及椽角间，悉见有蛇头。令人以刀悬斫，应刀隐灭，去辄复出。悉以纸裹柱椽，纸内薮薮如有行声。

司马休之遣文武千余人迎家，达南都，值风泊船。上岸伐薪，见聚肉有数百斤，乃割取之。还以镬煮之，汤始欲热，皆变成数千虾蟆也。

姚泓叔父大将军绍总司戎政，召胡僧问以休咎。僧乃以面为大胡饼形，径一丈，僧坐在上。先食正西，次食正北，次食正南，所余卷而吞之。讫便起去，了无所言。是岁五月，杨盛大破姚军于清水。九月，晋师北讨，扫定颍洛，遂席卷丰镐，生禽泓焉。

安定人姓韦，北伐姚泓之时，归国至都，住亲知家。时□□扰乱，齐有客来问之，韦云："今虽免虑，而体气惙然，未有气力。思作一羹，尤莫能得，至凄苦。"夜中眠熟，忽有扣床而来告者云："官与君钱。"便惊，出户，见一千钱在外。又见一乌纱冠帻子执板背户而立，呼主人共视，比来已不复见，而取钱用之。

晋末黄祖，奉亲至孝。母病笃，庭中稽颡。俄顷，天汉开明，有一老公，将小儿，持箱自通。即以两丸药赐母服之，众患顿消。因停宿。夜中厅事上有五色气际天，琴歌清好。祖往视之，坐斗帐里，四角及顶上各有一大珠，形如鹅子，明彩炫耀。翁曰："汝入三月，可泛河而来。"依期行，见门题曰"善福门"，内有水曰"湎源池"，有芙蕖如车轮。

晋临川太守谢摛，夜中闻鼓吹声。兄藻曰："夜者阴间，不及存，将在身后。"及死，赠长水校尉，加鼓吹。

晋兖州刺史沛国宋处宗，尝买一长鸣鸡，爱养甚至，恒笼著窗间。鸡遂作人语，与处宗谈论，极有言致，终日不辍。处宗因此言功大进。

晋王文度镇广陵，忽见二骑，持鸱头板来召之。王大惊问骑："我作何官？"骑云："召作平北将军、徐兖二州刺史。"王曰："我已作此官，何故复召邪？"鬼云："此人间耳，今所作是天上官也。"王大惧之。寻见迎官玄衣人及鸱衣小吏甚多。王寻病薨。

晋庐陵太守庞企，字子及。上祖坐事系狱，而非其罪。见蝼蛄行其左右，相谓曰："使尔有神，能活我死，不当善乎？"因投饭与蝼蛄，食尽去。有顷复来，形体稍大，意异之。复与食，数日间其大如豚。及当行刑，蝼蛄掘壁根，为大孔，破，得从此孔出亡。后遇赦得活。

晋秘书监太原温敬林亡一年，妇柏氏，忽见林还，共寝处，不肯见子弟。兄子来见林，林小开窗出面见之。后酒醉形露，是邻家老黄狗，乃打杀之。

王仲文为河南主簿，居缑氏县。夜归，道经大泽中。顾车后有一白狗，甚可爱，便欲呼取。忽变为人形，长五六尺，状似方相，或前或却，如欲上车。仲文大怖，走至舍，捉火来视，便失所在。月余日，仲文将奴共在路，忽复见，与奴并顿伏，俱死。

颍川陈庆孙家后有神树，多就求福，遂起庙，名天神庙。庆孙有乌牛，神于空中言："我是天神，乐卿此牛。若不与我，来月二十日当杀尔儿。"庆孙曰："人生有命，命不由汝。"至日，儿果死。复言："汝不与我，至五月杀汝妇。"又不与。至时妇果死。又来言："汝不与我，秋当杀汝。"又不与。至秋遂不死。鬼乃来谢曰："君为人心正，方受大福。愿莫道此事，天地闻之，我罪不细。实见小鬼，得作司命度事干，见君妇儿终期，为此欺君索食耳，愿深恕亮。君禄籍年八十三，家方如意，鬼神祐助，吾亦当奴仆相事。"遂闻稽颡声。

毕修之外祖母郭氏，尝夜独寝，唤婢，应而不至，郭屡唤犹尔。后闻塌床声甚重，郭厉声呵婢，又应诺诺不至。俄见屏风上有一面，如方相。两目如升，光明一屋，手掌如簸箕，指长数寸，又挺动其耳目。

郭氏道精进，一心至念，此物乃去。久之，婢辈悉来，云："向欲应，如有物镇压之者。体轻便来。"

桓逸为汝南郡人，赍四乌鸭作礼。大儿梦四乌衣人请命，觉，忽见鸭将杀，遂救之，买肉以代，还梦，四人来谢而去。

桓恭为桓安民参军，在丹徒所住廨。床前一小陷穴，详视是古墓，棺已朽坏。桓食，常先以鲑饭投穴中，如此经年。后眠始觉，见一人在床前，云："我终没以来，七百余年，后绝嗣灭，烝尝莫继。君恒食见播及，感德无已。依君籍，当应为宁州刺史。"后果如言。

庾宏为竟陵王府佐，家在江陵。宏令奴无患者载米饷家，未达三里，遭劫被杀，尸流泊查口村。时岸旁有文欣者，母病，医云："须得髑髅屑，服之即差。"欣重赏募索。有邻妇杨氏，见无患尸，因断头与欣。欣烧之，欲去皮肉，经三日夜不焦，眼角张转。欣虽异之，犹惜不弃。因刮耳颊骨与母服之，即觉骨停喉中，经七日而卒。寻而杨氏得疾，通身洪肿，形如牛马，见无患头来骂云："善恶之报，其能免乎?"杨氏以语儿，言终而卒。

阳羡县小吏吴龛，有主人在溪南。尝以一日乘掘头舟过水，溪内忽见一五色浮石。取内床头，至夜化成一女子，自称是河伯女。

河南人赵良，与其乡人诸生至长安。及新安界，遭霖雨，粮乏，相谓曰："尔当正饥，那得美食邪?"在后堂应时羹饭备具，两人惊愕，不敢食。有人声曰："但食无嫌也。"明日早，两人复曰："那复得美食?"即复在前。遂至长安，无他祸福。

成彪兄丧，哀悼结气，昼夜哭泣。兄提二升酒一盘梨就之，引酌相欢。彪问略答，彪悲咽问："兄今在天上，福多苦多?"久弗应，肃然无言。泻余酒著瓯中，挈罃而去。后钓于湖，经所共饮处，释纶悲感。有大鱼跳入船中，俯视诸小鱼。彪仰天号恸，俯而见之，悉放诸小鱼，大者便自出船去。

东平吕球，丰财美貌。乘船至曲阿湖，值风不得行，泊菰际。见一少女，乘船采菱，举体皆衣荷叶。因问："姑非鬼邪? 衣服何至如此?"女则有惧色，答云："子不闻'荷衣兮蕙带，倏而来兮忽而逝'乎?"然有惧容，回舟理棹，逡巡而去。球遥射之，即获一獭，向者之船，皆是蘋蘩蕰藻之叶。见老母立岸侧，如有所候，望见船过，因问云："君向来不见湖中采菱女子邪?"球云："近在后。"寻射，复获老獭。居湖次者咸云："湖中常有采菱女，容色过人，有时至人家，结好者甚众。"

河东常丑奴寓居章安县，以采蒲为业。将一小儿，湖边拔蒲，暮，恒宿空田舍中。时日向暝，见一女子，容姿殊美，乘一小船，载莼径前，投丑奴舍寄住。丑奴嘲之，灭火共卧，觉有腥气，又指甚短，惕然疑是魅。女已知人意，便求出户，变而为獭。

人有山行坠涧者，无出路，饥饿欲死。见龟蛇甚多，朝暮引颈向四方。人因学之，遂不饥。体殊轻便，能登岩岸。经数年后，辣身举臂，遂超出涧上，即得还家。颜色悦泽，颇更聪慧。洎食谷，啖滋味，百日复其本质。

建德民虞敬上厕，辄有一人授手内草与之，不睹其形，如此非一过。后至厕，久无送者，但闻户外斗声。窥之，正见死奴与死婢争先进草。奴适在前，婢便因后挝，由此辄两相击。食顷，敬欲出，婢奴阵势方未已，乃厉声叱之，奄如火灭。自是遂绝。

广陵韩咎字兴彦，陈敏反时，与敏弟恢战于寻阳。还营下马，觉鞭重，见有绿锦囊，中有短卷书著鞭鞘，皆不知所从来。开视之，故谷纸佛神咒经，乃世之常闻也。

武宣程羁，偏生，未被举。家常使种葱，后连理树生于园圃。

谯郡胡馥之娶妇李氏，十余年无子，而妇卒。哭恸，云："竟无遗体遂伤，此酷何深!"妇忽起坐曰："感君痛悼，我不即朽。君可暝后见就，依平生时阴阳，当为君生一男。"语毕，还卧。馥之如言，不取灯烛，暗而就之交接。后叹曰："亡人亦无生理。可别作屋见置，瞻视满十月，然后殡。"尔来觉妇身微暖，如未亡。既及十月，果生一男，男名灵产。

王伯阳亡，其子营墓，得三漆棺，移置南冈。夜梦鲁肃瞋云："当杀汝父!"寻复梦见伯阳云："鲁肃与弟争墓。"后于坐褥上见数升血，疑鲁肃杀之故也。墓今在长广桥东一里。

海陵民黄寻，先居家单贫。尝因大风雨，散钱飞至其家，来触篱援，误落在余处，皆拾而得之。寻后巨富，钱至数千万，遂擅名于江表。

余杭人沈纵，家素贫，与父同入山。还，未至家，见一人左右导从四百许，前车辎重，马鞭夹道，卤簿如二千石。遥见纵父子，便唤住，就纵手中然火。纵因问："是何贵人？"答曰："是斗山王，在余杭南。"纵知是神，叩头云："愿见祐助！"后入山得一玉枕。从此所向如意，田蚕并收，家遂富。

项县民姚牛，年十余岁。父为乡人所杀，牛常卖衣物市刀戟，图欲报仇。后在县署前相遇，手刃之于众中。吏捕得，官长深矜孝节，为推迁其事，会赦得免。又为州郡论救，遂得无他。令后出猎，逐鹿入草中，有古深阱数处，马将趣之。忽见一公，举杖击马，马惊避，不得及鹿。令怒，引弓将射之。公曰："此中有阱，恐君堕耳！"令曰："汝为何人？"翁跪曰："民姚牛父也，感君活牛，故来谢恩。"因灭不见。令身感冥事，在官数年，多惠于民。

吴县费升为九里亭吏，向暮，见一女从郭中来，素衣，哭，入埭，向一新冢哭。日暮，不得入门，便寄亭宿。升作酒食，至夜，升弹琵琶令歌，女云："有丧仪，勿笑人也。"歌音甚媚，云："精气感冥昧，所降若有缘。嗟我遘良契，寄忻霄梦间。"中曲云："成公从仪起，兰香降张硕。苟云冥分结，缠绵在今夕。"下曲云："伫我风云会，正俟今夕游。神交虽未久，中心已绸缪。"寝处向明，升去，顾谓曰："且至御亭。"女便惊怖。猎人至，郡狗入屋，于床咬死，成大狸。

代郡界，有一亭，常有怪，不可诣止。有诸生壮勇，行歌止宿，亭吏止之。诸生曰："我自能消此。"乃住宿食。至夜，鬼吹五孔笛，有一手，都不能得摄笛。诸生不耐，忽便笑谓："汝止有一手，那得遍笛？我为汝吹来。"鬼云："卿为我少指邪？"乃引手，即有数十指出。诸生知其可击，拔剑斫之，得一老雄鸡，从者并鸡雏耳。

一士人姓王，坐斋中。有一人通刺诣之，题刺云舒甄仲。既去，疑非人，寻刺，曰：是予舍西土瓦中人。令掘之，果于瓦器中得一铜人，长尺余。

襄阳城南有秦民，为性至孝，亲没，泣血三年。人有为其咏《蓼莪》诗者，民闻其义，涕泗不自胜。

寻阳参军梦一妇人,前跪自称:"先葬近水淹没,诚能见救,虽不能富贵,可令君薄免祸。"参军答曰:"何以为志?"妇人曰:"君见渚边上有鱼钗,即我也。"参军明旦觅,果见一毁坟,其上有钗,移置高燥处。却十余日,参军行至东桥,牛奔直趋水,垂堕,忽转,正得无恙也。

清河崔茂伯女,结婚裴氏,克期未至,女暴亡。提一金罂,受二升许,径到裴床前立,以罂赠裴。

宏农徐俭家,有一远来客寄宿。有马一匹,中夜惊跳。客不安,骑马而去。一物长丈余,来逐马后,客射之,闻如中木声。明日寻昨路,见箭著一碓栅。

刘松在家,忽见一鬼,拔剑斫之。鬼走,松起逐。见鬼在高山岩石上卧,乃往逼突。群鬼争走,遗置药杵臼及所余药,因将还家。松为人合药时,临熟取一撮经此臼者,无不效验。

曲阿有一人,忘姓名,从京还,逼暮不得至家。遇雨,宿广屋中。雨止月朗,遥见一女子,来至屋檐下。便有悲叹之音,乃解腰中绻绳,悬屋角自绞。又觉屋檐上如有人牵绳绞。此人密以刀斫绻绳,又斫屋上,见一鬼西走。向曙,女气方苏,能语:"家在前。"持此人将归,向女父母说其事。或是天运使然,因以女嫁与为妻。

爰琼为新安太守,郡南界有刻石,爰至其下宴。忽有人得剪刀于石下者,众咸异之。综问主簿,主簿对曰:"昔吴长沙桓王尝饮饯孙洲,父老云:'此洲狭而长,君尝为长沙乎?'果应。夫三刀为州,得交刀,君亦当交州。"后果交州。

有一伧小儿,放牛野中,伴辈数人。见一鬼,依诸丛草间,处处设网,欲以捕人。设网后未竟,伧小儿窃取前网,仍以罥之,即缚得鬼。

琅邪诸葛氏兄弟二人,寓居晋陵,家甚贫耗,常假乞自给。谷在囷中,计日月未应尽,而早以空罄。始者故谓是家中相窃盗,故复封检题识,而耗如初。后有宿客远来,际夕,至巷口,见数人担谷从门出,客借问:"诸葛在不?"答云:"悉在。"客进,语讫,因问:"卿何得大槖担?"主人云:"告乞少谷欲充口,云何复得槖之?"客云:"我向来逢见数人,担谷从门出。若不槖者,为是何事?"主人兄弟相视,窃自疑怪。试入看,封题俨然如故。试开囷量视,即无十许斛,知前后所失,非人为之也。

河南阳起，字圣卿，少时病疟，逃于社中，得《素书》一卷，遣劾百鬼法，所劾辄效。为日南太守。母至厕上，见鬼，头长数尺，以告圣卿。圣卿曰："此肃霜之神。"劾之出来，变形如奴。送书京师，朝发暮反，作使当千人之力。有与忿患者，圣卿遣神夜往，趋其床头，持两手，张目正赤，吐舌柱地，其人怖几死。

刘斌在吴郡时，娄县有一女，忽夜乘风雨，恍忽至郡城内。自觉去家止一炊顷，衣不沾濡。晓在门上，求通言："我天使也，府君宜起迎我，当大富贵。不尔，必有凶祸。"刘问所来，亦不知。自后二十许日，刘果诛。

护军琅邪王华，有一牛，甚快，常乘之，齿已长。华后梦牛语之曰："衰老不复堪苦载，载二人尚可，过此必死。"华谓偶尔梦。与三人同载还府，此牛果死。

吴兴戴眇家僮客姓王，有少妇，美色，而眇中弟恒往就之。客私怀忿怒，具以白眇："中郎作此，甚为无礼，愿遵敕语。"眇以问弟，弟大骂曰："何缘有此？必是妖鬼。敕令扑杀。"客初犹不敢约厉分明，后来闭户欲缚，便变成大狸，从窗中出。

巴东有道士，忘其姓名。事道精进，入屋烧香。忽有风雨至，家人见一白鹭从屋中飞出。雨住，遂失道士所在。

会稽谢祖之妇，初育一男，又生一蛇，长二尺许，便径出门去。后数十年，妇以老终。祖忽闻西北有风雨之声，顷之，见一蛇，长十数丈，腹可十余围，入户造灵座。因至枢所，绕数匝，以头打枢，目血泪俱出，良久而去。

会稽郡史鄮县薛重，得假还家。夜，户闭，闻妻床上有丈夫鼾声。唤妻，妻从床上出，未及开户，重持刀便逆问妻曰："醉人是谁？"妻大惊愕，因苦自申明，实无人意。重家唯有一户，搜索，了无所见。见一大蛇，隐在床脚，酒臭，重便斩蛇寸断，掷于后沟。经数日，而妇死。又数日，而重卒。经三日复生，说始死时，有神人将重到一官府，见官寮，问："何以杀人？"重曰："实不曾行凶。"曰："寸断掷在后沟，此是何物？"重曰："此是蛇，非人。"府君愕然而悟曰："我常用为神，而敢淫人妇，又妄讼人。敕左右召来！"吏卒乃领一人来，著平巾帻，具诘其淫妻之过，将付狱。重乃令人送还。

曲阿虞晚所居宅内，有一皂荚，大十余围，高十余丈，枝条扶疏，阴覆数家，诸鸟依其上。晚令奴斫上枝，因坠殆死。空中有骂者曰："虞晚，汝何意伐我家居？"便以瓦石掷之，大小并委顿。如此二年，渐消灭。

虞晚家有皂荚树，有神。隔路有大榆树，古传曰：是雌雄。晚被斫，此树枯死。

太原王仲德，年少时遭乱，避胡贼，绝粒三日，草中卧。忽有人扶其头，呼云："可起啖枣。"王便寤。瞥见一小儿，长四尺，即隐。乃有一囊干枣在前，啖之，小有气力，便起。

安定人周敬，种瓜时亢旱，鬼为桔水浇瓜，瓜大滋繁。问姓名，不答。还白父："尝有惠于人否？"父曰："西郭樊营，先作郡吏，偿官数百斛米，我时以百斛助之。其人已死。"

有人家甚富，止有一男，宠恣过常。游市，见一女子美丽，卖胡粉，爱之，无由自达。乃托买粉，日往市，得粉便去，初无所言。积渐久，女深疑之。明日复来，问曰："君买此粉，将欲何施？"答曰："意相爱乐，不敢自达。然恒欲相见，故假此以观姿耳！"女怅然有感，遂相许以私，克以明夕。其夜，安寝堂屋，以俟女来。薄暮，果到，男不胜其悦，把臂曰："宿愿始伸于此！"欢踊遂死。女惶惧，不知所以。因遁去，明还粉店。至食时，父母怪男不起，往视，已死矣。当就殡敛。发箧笥中，见百余裹胡粉，大小一积。其母曰："杀吾儿者，必此粉也。"入市遍买胡粉，次此女，比之，手迹如先，遂执问女曰："何杀我儿？"女闻呜咽，具以实陈。父母不信，遂以诉官。女曰："妾岂复吝死？乞一临尸尽哀！"县令许焉。径往，抚之恸哭，曰："不幸致此，若死魂而灵，复何恨哉？"男豁然更生，具说情状，遂为夫妇，子孙繁茂。

许攸梦乌衣吏奉漆案，案上有六封文书。拜跪曰："府君当为北斗君，明年七月。"复有一案，四封文书云："陈康为主簿。"觉后，康至，曰："今来当谒。"攸闻益惧，问康曰："我作道师，死不过作社公。今日得北斗，主簿余为忝矣！"明年七月，二人同日而死。

广平太守冯孝将男马子，梦一女人，年十八九岁，言："我乃前太守徐玄方之女，不幸早亡。亡来四年，为鬼所枉杀。按生箓，乃寿至八十余。今听我更生，还为君妻，能见聘否？"马子掘开棺视之，其女已活，遂为夫妇。

京口有徐郎者，家甚褴缕，常于江边拾流柴。忽见江中连船盖川而来，径回入浦，对徐而泊，遣使往云："天女今当为徐郎妻。"徐入屋角，隐藏不出。母兄妹劝励强出。未至舫，先令于别室为徐郎浴。水芬香，非世常有，赠以缯绛之衣。徐唯恐惧，累膝床端，夜无酬，接之礼。女然后发遣，以所赠衣物乞之而退。家大小怨情煎骂，遂懊叹卒。

侯官县常有阁下神，岁终，诸吏杀牛祀之。沛郡武曾作令断之，经一年，曾迁作建威参军。神夜来问曾："何以不还食？"声色极恶，甚相谴责。诸吏便于道中买牛，共谢之，此神乃去。

甄冲，字叔让，中山人，为云社令，来至惠怀县。忽有一人来通云："社郎须臾便至。"年少，容貌美净。既坐，寒温云："大人见使，贪慕高援，欲以妹与君婚，故来宣此意。"甄愕然曰："仆长大，且已有家，何缘此理？"社郎复云："仆妹年少，且令色少双，必欲得佳对，云何见拒？"甄曰："仆老翁，见有妇，岂容违越？"相与反覆数过，甄殊无动意。社郎有恚色，云："大人当自来，恐不得违尔。"既去，便见两岸上有人，著帻，捉马鞭，罗列相随，行从甚多。社公寻至，卤簿导从如方伯，乘马舆，青幢赤络，覆车数乘。女郎乘四望车，锦步障数十张，婢十八人，来车前。衣服文彩，所未尝见。便于甄旁边岸上张幔屋，舒荐席。社公下，隐膝几，坐白旃坐褥。玉唾壶，以玳瑁为手巾笼，捉白麈尾。女郎却在东岸，黄门白拂夹车立，婢子在前。社公引佐吏，令前坐，当六十人。命作乐，器悉如琉璃。社公谓甄曰："仆有陋女，情所钟爱。以君体德令茂，贪结亲援，因遣小儿已具宣此旨。"甄曰："仆既老悴，已有家室，儿子且大，虽贪贵聘，不敢闻命。"社公复云："仆女年始二十，姿色淑令，四德克备。今在岸上，勿复为烦，但当成礼耳！"甄拒之转苦，谓是邪魅，便拔刀横膝上，以死拒之，不复与语。社公大怒，便令呼三斑两虎来，张口正赤，号呼裂地，径跳上，如此者数十次。相守至天明，无如之何，便去。留一牵车。将从数十人，欲以迎甄，甄便移惠怀上县中住。所迎车及人至门，中有一人，著单衣帻，向之揖，于此便住，不得前。甄停十余日，方敢去。故见二人著帻、捉马鞭随至家。至家少日，而妇病遂亡。

秣陵人赵伯伦曾往襄阳，船人以猪豕为祷，及祭，但豚肩而已。尔夕，伦等梦见一翁一姥，鬓首苍素，皆著布衣，手持桡楫，怒之。明发，辄触沙冲石，皆非人力所禁。更施厚馔，即获流通。

桂阳人李经，与朱平带戟逐焉。行百余步，忽见一鬼，长丈余，止之曰："李经有命，岂可杀之？无为，必伤汝手。"平乘醉直往经家，鬼亦随之。平既见经，方欲奋刃，忽屹然不动，如被执缚，果伤左手指焉。遂立庭间，至暮，乃醒而去。鬼曰："我先语汝，云何不从？"言终而灭。

剡县胡章与上虞管双喜好干戈。双死后，章梦见之，跃刃戏其前，觉，甚不乐。明日，以符帖壁。章欲近行，已泛舟理楫，忽见双来，攀留之云："夫人相知，情贯千载。昨夜就卿戏，值眠，吾即去，今何故以符相厌？大丈夫不体天下之理，我畏符乎！"

吴中人姓顾，往田舍。昼行去舍十余里，但闻西北隐隐。因举首，见四五百人，皆赤衣，长二丈，倏忽而至，三重围之。顾气奄奄不通，辗转不得。且至晡，围不解，口不得语，心呼北斗。又食顷，鬼相谓曰："彼正心在神，可舍去。"豁如雾除。顾归舍，疲极卧。其夕，户前一处，火甚盛而不然，鬼纷纭相就，或往或来，呼顾谈，或入去其被，或上头，而轻如鸿毛。开晨失。

刘道锡与从弟康祖少不信有鬼，从兄兴伯少来见鬼，但辞论不能相屈。尝于京口长广桥宅东，云"有杀鬼在东篱上"。道锡便笑问其处，牵兴伯俱去，捉大刀，欲斫之。兴伯在后唤云："鬼击汝！"道锡未及鬼处，便闻如有大杖声，道锡因倒地，经宿乃醒，一月日都差。兴伯复云："厅事东头桑树上有鬼，形尚孺，长必害人。"康祖不信，问在树高下，指处分明。经十余日，是月晦夕，道锡逃暗中，以戟刺鬼所住便还，人无知者。明日，兴伯早来，忽惊曰："此鬼昨夜那得人刺之？殆死，都不能复动，死亦当不久。"康祖大笑。

郫县故尉赵吉，常在田陌间。昔日有一蹇人死，埋在陌边。后二十余年，有一远方人过赵所门外。远方人行十余步，忽作蹇，赵怪问其故，远人笑曰："前有一蹇鬼，故效以戏耳！"

东莱王明儿居在江西，死经一年，忽形见还家。经日命招亲好叙平生，云天曹许以暂归。言及将离语，便流涕问讯乡里，备有情焉。敕儿曰："吾去人间，便已一周。思睹桑梓。"命儿同观乡闾。行经邓艾庙，令烧之。儿大惊曰："艾生时为征东将军，没而有灵，百姓祠以祈福，奈何焚之？"怒曰："艾今在尚方摩铠，十指垂掘，岂其有神？"因云："王大将军亦作牛驱驰殆毙，桓温为卒，同在地狱。此等并困剧理尽，安能为人损益？汝欲求多福者，正当恭顺尽忠孝，无恚怒，便善流无极。"又令可录指爪甲，死后可以赎罪。又使高作户限，鬼来入人室，记人罪过，越限拨脚，则忘事矣。

广陵刘青松晨起，见一人著公服，赍板云："召为鲁郡太守。"言讫便去。去后，亦不复见。至来日，复至曰："君便应到职。"青松知必死，告妻子处分家事，沐浴。至晡，见车马，吏侍左右。青松奄忽而绝。家人咸见其升车，南出，百余步渐高而没。

豫章太守贾雍有神术，出界讨贼，为贼所杀，失头，上马回营，胸中语曰："战不利，为贼所伤，诸君视有头佳乎？无头佳乎？"吏涕泣曰："有头佳。"雍云："不然，无头亦佳。"言毕遂死。

吕顺丧妇，更娶妻之从妹，因作三墓，构累垂就，辄无成。一日，顺昼卧，见其妇来，就同衾，体冷如冰，顺以死生之隔语使去。后妇又见其妹，怒曰："天下男子独何限，汝乃与我共一婿！作冢不成，我使然也。"俄而，夫妇俱殪。

衡阳太守王矩为广州。矩至长沙，见一人长丈余，著白布单衣，将奏在岸上呼矩奴子："过我！"矩省奏，为杜灵之，入船共语，称叙希阔。矩问："君京兆人，何时发来？"答矩："朝发。"矩怪问之，杜曰："天上京兆，身是鬼，见使来诣君耳！"矩大惧。因求纸笔，曰："君必不解天上书。"乃更作，折卷之，从矩求一小箱盛之，封付矩曰："君今无开，比到广州，可视耳。"矩到数月，悁悒，乃开视。书云："令召王矩为左司命主簿。"矩意大恶，因疾卒。

马仲叔、王志都并辽东人也,相知至厚。叔先亡,后年,忽形见,谓曰:"吾不幸早亡,心恒相念。念卿无妇,当为卿得妇。期至十一月二十日送诣卿家,但扫除设床席待之。"至日,都密扫除施设。天忽大风,白日昼昏。向暮,风止。寝室中忽有红帐自施,发视其中,床上有一妇,花媚庄严,卧床上,才能气息。中表内外惊怖,无敢近者。唯都得往。须臾,便苏起坐,都问:"卿是谁?"妇曰:"我河南人,父为清河太守,临当见嫁,不知何由,忽然在此。"都具语其意。妇曰:"天应令我为君妻。"遂成夫妇。往诣其家,大喜,亦以为天相与也。遂与之生一男,后为南郡太守。

会稽贺思令善弹琴,尝夜在月中坐,临风抚奏。忽有一人,形器甚伟,著械,有惨色。至其中庭称善,便与共语。自云是嵇中散,谓贺云:"卿下手极快,但于古法未合。"因授以《广陵散》。贺因得之,于今不绝。

巨鹿有庞阿者,美容仪。同郡石氏有女,曾内睹阿,心悦之。未几,阿见此女来诣阿,阿妻极妒,闻之,使婢缚之,送还石家,中路遂化为烟气而灭。婢乃直诣石家,说此事。石氏之父大惊,曰:"我女都不出门,岂可毁谤如此?"阿妇自是常加意伺察之。居一夜,方值女在斋中,乃自拘执以诣石氏。石氏父见之,愕眙曰:"我适从内来,见女与母共作,何得在此?"即令婢仆于内唤女出,向所缚者,奄然灭焉。父疑有异,故遣其母诘之。女曰:"昔年庞阿来厅中,曾窃视之。自尔仿佛即梦诣阿,及入户,即为妻所缚。"石曰:"天下遂有如此奇事!"夫精神所感,灵神为之冥著,灭者,盖其魂神也。既而女誓心不嫁。经年,阿妻忽得邪病,医药无征,阿乃授币石氏女为妻。

会稽国司理令朱宗之,常见亡人殡,去头三尺许,有一青物,状如覆瓮。人或当其处则灭,人去随复见,凡尸头无不有此青物者。又云,人殡时,鬼无不暂还临之。

新野庾谨母病,兄弟三人,悉在侍疾。忽闻床前狗斗,声非常。举家共视,了不见狗,只见一死人头在地。犹有血,两眼尚动。其家怖惧,夜持出,于后园中埋之。明旦视之,出在土上,两眼犹尔。即又埋之,后旦已复出。乃以砖著头,令埋之,不复出。后数日,其母遂亡。

东阳丁譁出郭，于方山亭宿。亭渚有刘散骑遭母丧，于京葬还。夜中，忽有一妇自通云："刘郎患疮，闻参军能治，故来耳。"譁使前，姿形端媚，从婢数人。命仆具肴馔，酒酣，叹曰："今夕之会，令人无复贞白之操。"丁云："女郎盛德，岂顾老夫？"便令婢取瑟琵弹之，歌曰："久闻所重名，今遇方山亭。肌体虽朽老，故是悦人情。"放瑟琵上膝，抱头又歌曰："女形虽薄贱，愿得忻作婿。缱绻观良觌，千载结同契。"声气婉媚，令人绝倒。便令灭火，共展好情。比晓，忽不见。吏云："此亭旧有妖魅。"

京兆董奇，庭前有大树，阴映甚佳。后霖雨，奇独在家乡，有小吏言云："承云府君来。"乃见承云，著通天冠，长八尺，自称为方伯，"某第三子有隽才，方当与君周旋"。明日，觉树下有异，每晡后无人，辄有一少年，就奇语戏，或命取饮食。如是半年，奇气强壮，一门无疾。奇后适下墅，其仆客三人送护，言："树材可用，欲货之，郎常不听，今试共斩斫之。"奇遂许之。神亦自尔绝矣。

清河郡太守至，前后辄死。新太守到，如厕，有人长三尺，冠帻皂服，云："府君某日死。"太守不应，意甚不乐，催使吏为作主人，外颇怪。其日日中，如厕，复见前所见人，言："府君今日中当死。"三言，亦不应。乃言："府君当道而不道，鼠为死。"乃顿仆地，大如豚。郡内遂安。

上虞魏虔祖婢，名皮纳，有色，徐密乐之。鼠乃托为其形而就密宿。密心疑之，以手摩其四体，便觉缩小，因化为鼠而走。

晋陵民蔡兴忽得狂疾，歌吟不恒。常空中与数人言笑。或云："当再取谁女？"复一人云："家已多。"后夜，忽闻十余人将物入里人刘余之家。余之拔刀出后户，见一人黑色，大骂曰："我湖长，来诣汝，而欲杀我？"即唤："群伴何不助余邪？"余之即奋刀乱砍，得一大鼍及狸。

江淮有妇人，为性多欲，存想不舍日夜。尝醉，旦起，见屋后二少童，甚鲜洁，如宫小吏者。妇因欲抱持，忽成扫帚，取而焚之。

东魏徐，忘名，还作本郡，卒，墓在东安灵山。墓先为人所发，棺柩已毁。谢玄在彭城，将有齐郡司马隆，弟进，及安东王箱，等。共取坏棺，分以作车。少时，三人悉见患，更相注连，凶祸不已。箱母灵语子孙云："箱昔与司马隆兄弟取徐府君墓中棺为车，隆等死亡丧破，皆由此也。"

秦高平李羡家奴健，至石头冈，忽见一人云："妇与人通情，遂为所杀，欲报仇，岂能见助？"奴用其言，果见人来。鬼便捉头，奴换与手，即时倒地，还半路，便死。鬼以千钱一匹青绞缦袍与奴，嘱云："此袍是市西门丁与许，君可自著，勿卖也。"

宋初，义兴周超，为谢晦司马在江陵。妻许氏在家，遥见屋里月光一死人头在地，血流甚多，大惊，怪即便失去。后超被法。

宋永初三年，吴郡张缝家，忽有一鬼，云："汝分我食，当相祐助。"便与鬼食，舒席著地，以饭布席上，肉酒五肴。如是，鬼得便，不复犯暴人。后为作食，因以刀斫其所食处，便闻数十人哭，哭亦甚悲，云："死何由得棺材？"又闻云："主人家有梓船，奴甚爱惜，当取以为棺。"见担船至，有斧锯声。治船既竟，闻呼唤"举尸著棺中，缝眼不见，唯闻处分，不闻下钉声，便见船渐渐升空，入云霄中。久久灭，从空中落，船破成百片。便闻如有百数人大笑，云："汝那能杀我？我当为汝所困者邪？但知恶心，我憎汝状，故破船坏耳。"缝便回意奉事此鬼。问吉凶及将来之计，语缝曰："汝可以大瓮著壁角中，我当为汝觅物也。"十日一倒，有钱及金银铜铁鱼腥之属。

宋高祖永初中，张春为武昌太守时，人有嫁女，未及升车，忽便失性。出外，殴击人乘云："已不乐嫁俗人。"巫云是邪魅，乃将女至江际，击鼓，以术祝治疗。春以为欺惑百姓，刻期须得妖魅。后有一青蛇来到巫所，即以大钉钉头。至日中，复见大龟从江来，伏前。更以赤朱书背作符，更遣去入江。至暮，有大白鼍从江中出，乍沉乍浮，向龟随后催逼。鼍自分死，冒未先入幔与女辞诀。女恸哭云："失其姻好。"自此渐差。或问巫曰："魅者归于何物？"巫云："蛇是传通，龟是媒人，鼍是其对。所获三物，悉是魅。"春始知灵验。

宋初，淮南郡有物凭人发。太守朱诞曰："吾知之矣。"多置黐以涂壁。夕有数蝙蝠，大如鸡，集其上。不得去，杀之乃绝。屋檐下，已有数百人头髻。

有贵人亡后，永兴令王奉先梦与之相对，如平生。奉先问："还有情色乎？"答云：某日至其家问婢。后觉，问其婢，云："此日魇梦郎君来。"

徐羡之为王雄少傅主簿，梦父祚之谓曰："汝从今已后，勿渡朱雀桁，当贵。"羡之后行半桁，忆先人梦，回马，而以此除主簿。后果为宰相。

吴郡张茂度在益州时，忽有人道朝廷诛徐羡之、傅亮、谢晦三人，遂传之纷纭。张推问道："造言之主，何由言此？"答曰："实无所承，恍忽不知言之耳！"张鞭之，传者遂息。后乃验。

景平元年，曲阿有一人病死，见父于天上。父谓曰："汝算录正余八年，若此限竟，死便入罪谪中。吾比欲安处汝，职局无缺者，惟雷公缺。当启以补其职。"即奏按入内，便得充此任。令至辽东行雨，乘露车，中有水，东西灌洒。未至，于中路复被符至辽西。事毕还，见父，苦求还，云："不乐处职。"父遣去，遂得苏活。

元嘉初，散骑常侍刘俊家在丹阳郡。后尝闲居，而天大骤雨。见门前有三小儿，皆可六七岁，相牵狡狯，而并不沾濡。俊疑非人。俄见共争一瓠壶子，俊引弹弹之，正中壶，霍然不见。俊得壶，因挂阁边。明日，有一妇人入门，执壶而泣，俊问之，对曰："此是小儿物，不知何由在此？"俊具语所以，妇持壶埋儿墓前。间一日，又见向小儿持来门侧，举之，笑语俊曰："阿侬已复得壶矣。"言终而隐。

元嘉九年，征北参军明裔之有一从者，夜眠，大魇。裔之自往唤之，顷间不能应。又失其头髻，三日乃寤，说云："被三人捉足，一人髻之。忽梦见一道人，以丸药与之，如桐子。令以水服之。"及寤，手中有药，服之遂瘥。

元嘉九年，南阳乐遐尝在内坐。忽闻空中有人呼其夫妇名，甚急，半夜乃止，殊自惊惧。后数日，妇屋后还，忽举体衣服总是血，未一月，而夫妇相继病卒。

元嘉中，交州刺史太原王徽始拜，乘车出行。闻其前铮铮有声，见一轮车当路，而余人不见，至州遂亡。

元嘉中，益州刺史吉翰迁为南徐州。先于蜀中载一青牛，下常自乘，恒于目前养视。翰遘疾多日，牛亦不肯食。及亡，牛流涕滂沱。吉氏丧未还都，先遣驱牛向宅。牛不肯行。知其异，即待丧。丧既下船，便随去。

吉米翰从弟名礜石，先作檀道济参军。尝病，因见人著朱衣，前来揖云："特来将迎。"礜石厚为施设求免，鬼曰："感君延接，当为少停。"乃不复见。礜石渐差。后丁艰，还寿阳，复见鬼，曰："迎使寻至，君便可束装。"礜石曰："君前已留怀，今复得见愍否？"鬼曰："前召欲相使役，故停耳。今泰山屈君为主簿，又使随至，不可辞也。"便见车马传教，油戟罗列于前。指示家人，家人莫见也。礜石介书呼亲友告别，语笑之中，便奄然而尽。

赵泰，字文和，清河贝邱人。公府辟不就，精进典籍，乡党称名。年三十五，宋太始五年七月十三日夜半，忽心痛而死，心上微暖，身体屈伸。停尸十日，气从咽喉如雷鸣，眼开，索水饮，饮讫便起。说初死时，有二人乘黄马，从兵二人，但言捉将去。二人扶两腋东行，不知几里，便见大城如锡铁崔嵬。从城西门入，见官府舍，有二重黑门，数十梁瓦屋。男女当五六十，主吏著皂单衫，将泰名在第三十。须臾将入，府君西坐，断勘姓名。复将南入黑门，一人绛衣，坐大屋下，以次呼名前，问生时所行事，有何罪故，行何功德，作何善行。言者各各不同。主者言："许汝等辞。恒遣六部都录使者，常在人间疏记人所作善恶，以相检校。人死有三恶道，杀生祷祠最重。奉佛持五戒十善，慈心布施，生在福舍，安稳无为。"泰答："一无所为，永不犯恶。"断问都竟，使为水官监作吏，将千余人，接沙著岸上。昼夜勤苦，啼泣悔言："生时不作善，今堕在此处。"后转水官都督，总知诸狱事。给马，东到地狱按行。复到泥犁地狱，男子六千人，有火树，纵广五十余步，高千丈，四边皆有剑，树上然火，其下十十五五，堕火剑上，贯其身体。云："此人咒咀骂詈，夺人财物，假伤良善。"泰见父母及一弟在此狱中涕泣。见二人赍文书来，敕狱吏，言："有三人，其家事佛，为有寺中幡盖，烧香，转《法华经》，咒愿救解生时罪过，出就福舍。"已见自然衣服，往诣一门，云"开光大舍"。有三重门，皆白壁赤柱。此三人即入门，见大殿珍宝耀日，堂前有二师子并伏，负一金玉床，云名"师子之座"。见一大人，身可长丈余，姿颜金色，项有白光，坐此床上。沙门立侍甚众，四座名"真人菩萨"。见泰山府君来作礼，泰问吏："何人？"吏曰："此名佛，天上天下，度人之师。"便闻佛言："今欲度此恶道中及诸地狱中人，皆令出。"应时云有万九千人，一时得出地狱。即时见呼十人，当上生天，有车马迎之，升虚空而去。复见一城云纵广二百里，名为"受变形城"。云生来不闻道法，而地狱考治已毕者，当于此城更受变报。入北门，见数千百土屋，中央有瓦屋，广五十余步，下有五百余吏，对录人名作善恶事状，受所变身形之路，各从其所趋去：杀生者当作蜉蝣虫，朝生夕死；若为人，常短命。偷盗者作猪羊，身屠，肉偿人。淫逸者作鹄鹜蛇身。恶舌者作鸱鸮鸺鹠恶声，人闻皆咒令死。抵债者为驴马牛鱼鳖之属。大屋下有地房北向，一户南向。呼从北户，又出南户者，皆变身形作鸟兽。又见一城，纵广百里，其中瓦屋，安居快乐。云生时不作恶，亦不为善，当在鬼趣，千岁得出为人。又见一城，广有五千余步，名为"地中"。罚谪者不堪苦痛。男女五六万，皆裸形无服，饥困相扶。见泰，叩头啼哭。泰按行毕还，主者问："地狱如法否？卿无罪，故相浼为水官都督。不尔，与狱中人无异。"泰问："人生何以为乐？"主者言："唯奉佛弟子精进不犯禁戒为乐耳。"又问："未奉佛时，罪过山积，今奉佛法，其过得除否？"曰："皆除。"主者又召都录使者，问："赵泰何故死？"来使开滕检年纪之籍，云："有算三十年，横为恶鬼所取，今遣还家。"由是大小发意奉佛，为祖、父母及弟悬幡盖、诵《法华经》作福也。

蔡廓作豫章郡，水发。大儿始迎妇，在渚次。儿欲渡妇船，衣挂船头，遂堕水，即没。徐羡之作扬州，登敕两岸，厚赏渔人及昆仑，共寻觅，至二更不得。妇哀泣之间，仿佛如梦闻婿告之曰："吾今在卿船下。"以告婢，婢白之，令水工没觅，果见坐在船下。初出水，颜色如平生。

宋永兴县吏钟道，得重病初差，情欲倍常。先乐白鹤墟中女子，至是犹存想焉。忽见此女子振衣而来，即与燕好。是后数至。道曰："吾甚欲鸡舌香。"女曰："何难。"乃掬香满手以授道，道邀女同含咀之。女曰："我气素芳，不假此。"女子出户，狗忽见随。咋杀之，乃是老獭，口香即獭粪，顿觉臭秽。

近世有人，得一小给使，频求还家，未遂。后日久，此吏在南窗下眠，此人见门中有一妇人，年五六十，肥大，行步艰难。吏眠失覆，妇人至床边取被以覆之，回复出门去。吏转侧衣落，妇人复如初。此人心怪。明问吏以何事求归。吏云："母病。"次问状貌及年，皆如所见，唯云形瘦不同。又问："母何患？"答云："病肿。"而即与吏假，使出，便得家信，云母丧。追计所见之肥，乃是其肿状也。

焦湖庙祝有柏枕，三十余年，枕后一小坼孔。县民汤林行贾，经庙祈福，祝曰："君婚姻未？可就枕坼边。"令林入坼内，见朱门、琼宫、瑶台，胜于世见。赵太尉为林婚，育子六人，四男二女，选林秘书郎，俄迁黄门郎。林在枕中，永无思归之怀，遂遭违忤之事。祝令林出外间，遂见向枕，谓枕内历年载，而实俄忽之间矣。

宋时余杭县南有上湖，湖中央作塘。有一人乘马看戏，将三四人至岑村，饮酒小醉，暮还。时炎热，因下马入水中，枕石眠。马断鞚走归，从人悉追马，至暮不返。眠觉，日已向晡，不见人马，见一妇来，年可十六七，云："女郎再拜，日既向暮，此间大可畏，君作何计？"问："女郎姓何？那得忽相闻？"复有一年少，年可十三四，甚了了，乘新车，车后二十人。至，呼上车云："大人暂欲相见。"因回车而去。道中骆驿把火，寻见城郭邑居，至便入城。进厅事，上有信幡，题云"河泊"。俄见一人，年三十许，颜容如画，侍卫繁多。相对欣然。敕行酒炙。云："仆有小女，颇聪明，欲以给君箕帚。"此人知神，敬畏不敢拒逆。便敕备办，令就郎中婚。承白已办。送丝布单衣及纱袷、绢裙、纱衫、裈、履、屐，皆精好。又给十小吏，青衣数十人。妇年可十八九，姿宫婉媚，便成礼。三日后，大会客。拜阁，四日，云："礼既有限，当发遣去。"妇以金瓯、麝香囊与婿别，涕泣而分。又与钱十万，药方三卷，云："可以施功布德。"复云："十年当相迎。"此人归家，遂不肯别婚，辞亲出家作道人。所得三卷方者，一卷脉经，一卷汤方，一卷丸方。周行救疗，皆致神验。后母老迈，兄丧，因还婚宦。

宋有一国，与罗刹相近。罗刹数入境，食人无度。王与罗刹约言：自今以后，国中人家，各专一日，当分送往，勿复枉杀。有奉佛家,唯有一子,始年十岁,次当充行。舍别之际,父母哀号,便至心念佛。以佛威神力,大鬼不得近。明日,见子尚在,欢喜同归。于兹遂绝。国人嘉庆慕焉。

安侯世高者,安息国王子。与大长者子共出家,学道舍卫城中。值王不称,大长者子辄恚,世高恒呵戒之。周旋二十八年,云当至广州。值乱,有一人逢高,唾手拔刀曰:"真得汝矣!"高大笑曰:"我夙命负对,故远来相偿。"遂杀之。有一少年云:"此远国异人而能作吾国言,受害无难色,将是神人乎?"众皆骇笑。世高神识还生安息国,复为王子,名高。安侯年二十,复辞王学道。十数年,语同学云:"当诣会稽毕对。"过庐山,访知识,遂过广州。见年少尚在,径投其家,与说昔事,大欣喜,便随至会稽。过稽山庙,呼神共语。庙神蟒形,身长数丈,泪出。世高向之语,蟒便去,世高亦还船。有一少年上船,长跪前受咒愿,因遂不见。广州客曰:"向少年即庙神,得离恶形矣。"云庙神即是宿长者子。后庙祝闻有臭气,见大蟒死,庙从此神歇。前至会稽,入市门,值有相打者,误中世高头,即卒。广州客遂事佛精进。

有新死鬼,形疲瘦顿。忽见生时友人,死及二十年,肥健,相问讯。曰:"卿那尔?"曰:"吾饥饿殆不自任,卿知诸方便,故当以法见教。"友鬼云:"此甚易耳。但为人作怪,人必大怖,当与卿食。"新鬼往入大墟东头,有一家奉佛精进,屋西厢有磨,鬼就推此磨,如人推法。此家主语子弟曰:"佛怜我家贫,令鬼推磨。"乃辇麦与之。至夕,磨数斛,疲顿乃去。遂骂友鬼:"卿那诳我?"又曰:"但复去,自当得也。"复从墟西头入一家,家奉道,门傍有碓,此鬼便上碓如人舂状。此人言:"昨日鬼助某甲,今复来助吾,可辇谷与之。"又给婢簸筛,至夕,力疲甚,不与鬼食。鬼暮归,大怒曰:"吾自与卿为婚姻,非他比,如何见欺?二日助人,不得一瓯饮食。"友鬼曰:"卿自不偶耳!此二家奉佛事道,情自难动。今去可觅百姓家作怪,则无不得。"鬼复去,得一家,门首有竹竿,从门入。见有一群女子,窗前共食。至庭中,有一白狗,便抱令空中行,其家见之大惊,言自来未有此怪。占云:"有客索食,可杀狗并甘果酒饭,于庭中祀之,可得无他。"其家如师言,鬼果大得食。此后恒作怪,友鬼之教也。

东昌县山有物，形如人，长四五尺，裸身被发，发长五六寸。常在高山岩石间住，暗哑作声，而不成语，能啸相呼。常隐于幽昧之间，不可恒见。有人伐木，宿于山中。至夜眠后，此物抱子从涧中发石取虾蟹，就人火边，烧炙以食儿。时人有未眠者，密相觉语，齐起共突击。便走，而遗其子，声如人啼也。此物使男女群共引石击人，趣得然后止。

会稽施子然。……有一人，身著黄练单衣帢，直造席，捧手与子然语。子然问其姓名，即答曰："仆姓卢，名钧，家在坛溪边临水。"复经半旬中，其作人掘田塍边沟蚁垤，忽见大坎，满中蝼蛄，将近斗许。而有数头极壮，一个弥大。子然至是始悟曰："近日客称卢钧，反音则蝼蛄也。家在坛溪，即西坎也。"悉灌以沸汤，自是遂绝。

吴兴徐长夙与鲍南海神有神明之交，欲授以秘术，先谓徐"宜有纳誓"。徐誓以不仕，于是受箓。常见八大神在侧，能知来见往，才识日异。县乡翕然有美谈，欲用为县主簿。徐心悦之，八神一朝不见其七，余一人倨傲不如常。徐问其故，答云："君违誓，不复相为。使身一人留卫箓耳！"徐仍还箓，遂退。

彭虎子少壮有膂力，常谓无鬼神。母死，俗巫戒之云："某日殃杀当还，重有所杀，宜出避之。"合家细弱，悉出逃隐，虎子独留不去。夜中，有人排门入，至东西屋觅人，不得，次入屋，向庐室中。虎子逭遽无计，床头先有一瓮，便入其中，以板盖头。觉母在板上，有人问："板下无人邪？"母云："无。"相率而去。

晋升平元年，任怀仁年十三，为台书佐。乡里有王祖复为令史，恒宠之。怀仁已十五六矣，颇有异意。祖衔恨，至嘉兴，杀怀仁，以棺殡埋于徐祚后田头。祚夜宿息田上，忽见有冢，至朝中暮三时，食辄分以祭之，呼云："田头鬼，来就我食。"至暝眠时，亦云："来伴我宿。"如此积时，后夜忽见形云："我家明当除服作祭，祭甚丰厚，君明随去。"祚云："我是生人，不当相见。"鬼云："我自隐君形。"祚便随鬼去，计行食顷，便到其家。家大有客，鬼将祚上灵座，大食灭。合家号泣，不能自胜，谓其儿还。见王祖来，便曰："此是杀我人，犹畏之。"便走出，祚即形露。家中大惊，因问祚，因叙本末。遂随祚迎丧，既去，鬼便断绝。

临淮朱综遭母难，恒外处住。内有病，因前见，妇曰："丧礼之重，不烦数还。"综曰："自荼毒以来，何时至内？"妇曰："君来多矣。"综知是魅，敕妇婢，候来便即闭户执之。及来，登床，往赴视。此物不得去，遽变老白雄鸡。推问是家鸡，杀之，遂绝。

汉武凿昆明，极深，悉是灰墨，无复土。举朝不解，以问东方朔。朔曰："臣愚，不足以知之。可试问西域胡僧。"帝以朔不知，难以核问。后汉帝时，外国道人来，入洛阳，时有忆方朔言者，乃试问之，胡人云："经云：'天地大劫将尽，则劫烧。'此烧之余。"乃知朔言有旨。

蒲城李通，死来云：见沙门法祖为阎罗王讲《首楞严经》。又见道士王浮身被锁械。求祖忏悔，祖不肯赴。孤负圣人，死方思悔。

康阿得死三日，还苏，说：初死时，两人扶腋，有白马吏驱之。不知行几里，见北向黑暗门；南入，见东向黑门；西入，见南向黑门；北入，见有十余梁间瓦屋。有人皂服笼冠，边有三十余吏，皆言府君，西南复有四五十吏。阿得便前拜府君。府君问："何所奉事？"得曰："家起佛图塔寺，供养道人。"府君曰："卿大福德。"问都录使者："此人命尽耶？"见持一卷书伏地案之，其字甚细，曰："余算三十五年。"府君大怒曰："小吏何敢顿夺人命？"便缚白马吏著柱，处罚一百，血出流漫。问得："欲归不？"得曰："尔。"府君曰："今当送卿归，欲便遣卿案行地狱。"即给马一匹，及一从人。东北出，不知几里，见一城，方数十里，有满城土屋。因见未事佛时亡伯、伯母、亡叔、叔母，皆著杻械，衣裳破坏，身体脓血。复前行，见一城，其中有卧铁床上者，烧床正赤。凡见十狱，各有楚毒。狱名"赤沙"、"黄沙"、"白沙"，如此"七沙"。有刀山剑树，抱赤铜柱。于是便还。复见七八十梁间瓦屋，夹道种槐，云名"福舍"，诸佛弟子住中。福多者上生天，福少者住此舍。遥见大殿二十余梁，有二男子、二妇人从殿上来下，是得事佛后亡伯、伯母、亡叔、叔母。须臾，有一道人来，问得："识我不？"得曰："不识。"曰："汝何以不识我？我共汝作佛图主。"于是遂而忆之，还至府君所，即遣前二人送归，忽便苏活也。

石长和死，四日苏。说：初死时，东南行，见二人治道，恒去和五十步，长和疾行，亦尔。道两边棘刺皆如鹰爪。见人大小群走棘中，如被驱逐，身体破坏，地有凝血。棘中人见长和独行平道，叹息曰："佛弟子独乐，得行大道中。"前行，见七八十梁瓦屋，中有阁十余，梁上有窗向。有人面辟方三尺，著皂袍，四纵掖，凭向坐，唯衣襟以上见。长和即向拜。人曰："石贤者来也，一别二十余年。"和曰："尔。"意中便若忆此时也。有冯翊牧孟承夫妻先死，阁上人曰："贤者识承不？"长和曰："识。"阁上人曰："孟承生时不精进，今恒为我扫地。承妻精进，晏然与官家事。"举手指西南一房，曰："孟承妻今在中。"妻即开窗向，见长和，问："石贤者何时来？"遍问其家中儿女大小名字平安不，"还时过此，当因一封书"。斯须，见承阁西头来，一手捉扫帚粪箕，一手捉把篗，亦问家消息。阁上人曰："闻鱼龙超修精进，为信尔不？何所修行？"长和曰："不食鱼肉，酒不经口，恒转尊经，救诸疾痛。"阁上人曰："所传莫妄！"阁上问都录主者："石贤者命尽耶？枉夺其命耶？"主者报："按录余四十年。"阁上人敕主者："辁车一乘，两辟车骑，两吏送石贤者。"须臾，东向便有车骑人从如所差之数。长和拜辞，上车而归。前所行道边，所在有亭传、吏民、床坐饮食之具。倏然归家，前见父母坐其尸边。见尸大如牛，闻尸臭。不欲入其中，绕尸三匝，长和叹息，当尸头前。见其亡姊于后推之，便踣尸面上，因即苏。

续 齐 谐 记

［梁］吴　均　撰

王根林　校点

校 点 说 明

　　《续齐谐记》一卷，梁吴均撰。吴均（469—520），吴兴故鄣（今浙江安吉）人。天监初，柳恽为吴兴刺史，辟均为郡主簿，官至奉朝请。好学，有才气，其诗为士人所效，号"吴均体"。精史学，有《后汉书注》、《齐春秋》等。

　　今本《续齐谐记》仅十七条，然文学性较高，颇多佳作。其取材，部分辑自旧集，还有不少来自民间传说故事，情节新奇，富于浪漫气息。其中"阳羡书生"写书生因脚痛卧路侧，后求寄许彦鹅笼中，为酬许而口吐珍馐、美女，美女又口吐男子，男子又吐女，终又依次回纳书生口中，极为奇幻精彩。此事显然本自佛经故事，则又可见佛教对中国文言小说的影响。本书不少故事，还成为后代话本小说及传奇的素材，可见它在文学史上的地位。

　　本书现存版本颇多，今以明嘉靖《顾氏文房小说》本为底本，校以其他诸本，予以标点出版。

续齐谐记

汉宣帝以皂盖车一乘,赐大将军霍光,悉以金铰具。至夜,车辖上金凤凰辄亡去,莫知所之,至晓乃还。如此非一。守车人亦尝见。后南郡黄君仲北山罗鸟,得凤凰,入手即化成紫金,毛羽冠翅,宛然具足,可长尺余。守车人列上云:"今月十二日夜,车辖上凤凰俱飞去,晓则俱还。今则不返,恐为人所得。"光甚异之,具以列上。后数日,君仲诣阙上凤凰子,云:"今月十二夜,北山罗鸟所得。"帝闻而疑之,置承露盘上,俄而飞去。帝使寻之,直入光家,止车辖上,乃知信然。帝取其车,每游行,即乘御之。至帝崩,凤凰飞去,莫知所在。稽康诗云:"翩翩凤辖,逢此网罗。"

京兆田真兄弟三人,共议分财。生资皆平均,惟堂前一株紫荆树,共议欲破三片。明日,就截之,其树即枯死,状如火然。真往见之,大惊,谓诸弟曰:"树本同株,闻将分析,所以憔悴。是人不如木也。"因悲不自胜,不复解树。树应声荣茂,兄弟相感,合财宝,遂为孝门。真仕至太中大夫。陆机诗云:"三荆欢同株。"

弘农杨宝,性慈爱。年九岁,至华阴山,见一黄雀为鸱枭所搏,逐树下,伤瘢甚多,宛转复为蝼蚁所困。宝怀之以归,置诸梁上。夜闻啼声甚切,亲自照视,为蚁所啮,乃移置巾箱中,啖以黄花。逮十余日,毛羽成,飞翔,朝去暮来,宿巾箱中,如此积年。忽与群雀俱来,哀鸣绕堂,数日乃去。是夕,宝三更读书,有黄衣童子曰:"我,王母使者。昔使蓬莱,为鸱枭所搏,蒙君之仁爱见救,今当受赐南海。"别以四玉环与之,曰:"令君子孙洁白,且从登三公,事如此环矣。"宝之孝大闻天下,名位日隆。子震,震生秉,秉生彪,四世名公。及震葬时,有大鸟降,人皆谓真孝招也。蔡邕论云:"昔日黄雀报恩而至。"

魏明帝游洛水,水中有白獭数头,美静可怜,见人辄去。帝欲见之,终莫能遂。侍中徐景山曰:"獭嗜鲻鱼,乃不避死。"画板作两生鲻鱼,悬置岸上。于是群獭竞逐,一时执得,帝甚佳之。曰:"闻卿善画,何其妙也！"答曰："臣亦未尝执笔，然人之所目，可庶几耳。"帝曰："是善用所长。"颜公《庭诰》云："徐景山之画獭是也。"

张华为司空，于时燕昭王墓前有一斑狸，化为书生，欲诣张公。过问墓前华表曰："以我才貌，可得见司空耶？"华表曰："子之妙解，无为不可。但张公制度，恐难笼络。出必遇辱，殆不得返。非但丧子千年之质，亦当深误老表。"狸不从，遂见华。见其容止风流，雅重之。于是论及文章声实，华未尝胜。次复商略三史，探贯百氏，包十圣，洞三才，华无不应声屈滞。乃叹曰："明公乃尊贤容众，嘉善矜不能，奈何憎人学问？墨子兼爱，其若是也？"言卒便退。华已使人防门。不得出。既而又问华曰："公门置兵甲阑锜，当是疑仆也。恐天下之人卷舌而不谈，知谋之士望门而不进。深为明公惜之。"华不答，而使人防御甚严。丰城令雷焕，博物士也。谓华曰："闻魅鬼忌狗所别者，数百年物耳。千年老精，不复能别。惟千年枯木，照之则形见。昭王墓前华表，已当千年，使人伐之。"至，闻华表言曰："老狸不自知，果误我事。"于华表穴中得青衣小儿，长二尺余。使还，未至洛阳，而变成枯木。遂燃以照之，书生乃是一斑狸。茂先叹曰："此二物不值我，千年不复可得。"

东海蒋潜，尝至不其县。路次林中，露一尸已自臭烂，鸟来食之。辄见一小儿，长三尺，驱鸟，鸟即起，如此非一。潜异之，看见尸头上着通天犀簪，揣其价，可数万钱。潜乃拔取。既去，见众鸟集，无复驱者。潜后以此簪上晋武陵王晞，晞薨，以衬众僧。王武刚以九万钱买之，后落褚太宰处。复以饷齐故丞相豫章王。王薨后，内人江夫人遂断以为钗。每夜辄见一儿绕床啼叫，云："何为见屠割？必诉天，当相报！"江夫人恶之，月余乃亡。

桓玄篡位后来朱雀门中，忽见两小儿，通身如墨，相和作《笼歌》，路边小儿从而和之者数十人。歌云："芒笼茵，绳缚腹。车无轴，倚孤木。"声甚哀。无归。日既夕，二小儿入建康县，至阁下，遂成双漆鼓槌。吏列云："槌积久，比恒失之，而复得之，不意作人也。"明年春，而桓败。车无轴，倚孤木，桓字也。荆州送玄首，用败笼茵包之，又芒绳束缚其尸沈诸江中，悉如所歌焉。

　　阳羡许彦，于绥安山行，遇一书生，年十七八，卧路侧，云脚痛，求寄鹅笼中。彦以为戏言。书生便入笼，笼亦不更广，书生亦不更小，宛然与双鹅并坐，鹅亦不惊。彦负笼而去，都不觉重。前行息树下，书生乃出笼，谓彦曰：“欲为君薄设。”彦曰：“善。”乃口中吐出一铜奁子，奁子中具诸肴馔，珍羞方丈。其器皿皆铜物，气味香旨，世所罕见。酒数行，谓彦曰：“向将一妇人自随，今欲暂邀之。”彦曰：“善。”又于口中吐一女子，年可十五六，衣服绮丽，容貌殊绝，共坐宴。俄而书生醉卧，此女谓彦曰：“虽与书生结妻，而实怀怨。向亦窃得一男子同行，书生既眠，暂唤之，君幸勿言。”彦曰：“善。”女子于口中吐出一男子，年可二十三四，亦颖悟可爱，乃与彦叙寒温。书生卧欲觉，女子口吐一锦行障，遮书生。书生乃留女子共卧。男子谓彦曰：“此女子虽有心，情亦不甚，向复窃得一女人同行，今欲暂见之，愿君勿泄。”彦曰：“善。”男子又于口中吐一妇人，年可二十许，共酌，戏谈甚久。闻书生动声，男子曰：“二人眠已觉。”因取所吐女人，还内口中。须臾，书生处女乃出，谓彦曰：“书生欲起。”乃吞向男子，独对彦坐。然后书生起，谓彦曰：“暂眠遂久，君独坐，当悒悒邪？日又晚，当与君别。”遂吞其女子，诸器皿悉内口中。留大铜盘，可二尺广，与彦别曰：“无以藉君，与君相忆也。”彦大元中为兰台令史，以盘饷侍中张散。散看其铭题，云是永平三年作。

　　汝南桓景随费长房游学累年，长房谓曰：“九月九日，汝家中当有灾。宜急去，令家人各作绛囊，盛茱萸，以系臂，登高饮菊花酒，此祸可除。”景如言，齐家登山。夕还，见鸡犬牛羊一时暴死。长房闻之曰：“此可代也。”今世人九日登高饮酒，妇人带茱萸囊，盖始于此。

　　晋武帝问尚书郎挚虞仲洽：“三月三日曲水，其义何旨？”答曰：“汉章帝时，平原徐肇以三月初生三女，至三日俱亡，一村以为怪。乃相与至水滨盥洗，因流以滥觞，曲水之义，盖自此矣。”帝曰：“若如所谈，便非嘉事也。”尚书郎束皙进曰：“挚虞小生，不足以知此。臣请说其始。昔周公成洛邑，因流水泛酒，故逸诗云：羽觞随波流。又秦昭王三月上巳，置酒河曲，见金人自河而出，奉水心剑曰：令君制有西夏。及秦霸诸侯，乃因此处立为曲水。二汉相缘，皆为盛集。”帝曰：

"善。"赐金五十斤,左迁仲洽为城阳令。

桂阳成武丁,有仙道,常在人间,忽谓其弟曰:"七月七日,织女当渡河,诸仙悉还宫。吾向已被召,不得停,与尔别矣。"弟问曰:"织女何事渡河? 去当何还?"答曰:"织女暂诣牵牛,吾复三年当还。"明日失武丁,至今云织女嫁牵牛。

弘农邓绍,尝八月旦入华山采药。见一童子,执五彩囊承柏叶上露,皆如珠,满囊。绍问曰:"用此何为?"答曰:"赤松先生取以明目。"言终,便失所在。今世人八月旦作眼明袋,此遗象也。

屈原五月五日投汨罗水,楚人哀之,至此日,以竹筒子贮米投水以祭之。汉建武中,长沙区曲忽见一士人,自云"三闾大夫",谓曲曰:"闻君当见祭,甚善。常年为蛟龙所窃,今若有惠,当以楝叶塞其上,以彩丝缠之。此二物,蛟龙所惮。"曲依其言。今五月五日作粽,并带楝叶、五花丝,遗风也。

吴县张成,夜起,忽见一妇人,立于宅上南角,举手招成。成即就之。妇人曰:"此地是君家蚕室,我即是此地之神。明年正月半,宜作白粥泛膏于上祭我也,必当令君蚕桑百倍。"言绝,失之。成如言作膏粥,自此后,大得蚕。今正月半作白膏粥,自此始也。

吴兴故鄣县东三十里,有梅溪山。山根直竖一石,可高百余丈,至青而圆,如两间屋大。四面斗绝,仰之干云外,无登陟之理。其上复有盘石,圆如车盖,恒转如磨,声若风雨,土人号为石磨。转快则年丰,转迟则岁俭。欲知年之丰俭,验之无失。

钱塘徐秋夫,善治病。宅在湖沟桥东。夜,闻空中呻吟,声甚苦,秋夫起,至呻吟处,问曰:"汝是鬼邪? 何为如此? 饥寒须衣食邪? 抱病须治疗邪?"鬼曰:"我是东阳人,姓斯,名僧平。昔为乐游吏,患腰痛死,今在湖北。虽为鬼,苦亦如生。为君善医,故来相告。"秋夫曰:"但汝无形,何由治?"鬼曰:"但缚茅作人,按穴针之,讫,弃流水中,可也。"秋夫作茅人,为针腰目二处,并复薄祭,遣人送后湖中。及暝,梦鬼曰:"已差。并承惠食,感君厚意。"秋夫宋元嘉六年为奉朝请。

会稽赵文韶,为东宫扶侍,坐清溪中桥,与尚书王叔卿家隔一巷,相去二百步许。秋夜嘉月,怅然思归,倚门唱《西夜乌飞》,其声甚哀怨。忽有青衣婢，年十五六，前曰："王家娘子白扶侍，闻君歌声，有门人逐月游戏，遣相闻耳。"时未息，文韶不之疑，委曲答之，亟邀相过。须臾，女到，年十八九，行步容色可怜，犹将两婢自随。问："家在何处？"举手指王尚书宅，曰："是闻君歌声，故来相诣，岂能为一曲邪？"文韶即为歌《草生盘石》，音韵清畅，又深会女心。乃曰："但令有瓶，何患不得水？"顾谓婢子："还取箜篌，为扶侍鼓之。"须臾至，女为酌两三弹，泠泠更增楚绝。乃令婢子歌《繁霜》，自解裙带系箜篌腰，叩之以倚歌。歌曰："日暮风吹，叶落依枝。丹心寸意，愁君未知。歌《繁霜》，侵晓幕。何意空相守，坐待繁霜落。"歌阕，夜已久，遂相仁燕寝，竟四更别去。脱金簪以赠文韶，文韶亦答以银碗白琉璃匕各一枚。既明，文韶出，偶至清溪庙歌，神坐上见碗，甚疑；而委悉之屏风后，则琉璃匕在焉，箜篌带缚如故。祠庙中惟女姑神像，青衣婢立在前，细视之，皆夜所见者，于是遂绝。当宋元嘉五年也。

　　《齐谐》，志怪者也。盖庄生寓言耳。今吴均所续，特取义云耳，前无其书也。考《文献通考》书目，亦云。至元甲子，吴郡陆友记。

历代笔记小说大观总目

汉魏六朝

西京杂记(外五种) ［汉］刘歆 等撰　王根林 校点

博物志(外七种) ［晋］张华 等撰　王根林 等校点

拾遗记(外三种) ［前秦］王嘉 等撰　王根林 等校点

搜神记·搜神后记 ［晋］干宝 陶潜 撰　曹光甫 王根林 校点

世说新语 ［南朝宋］刘义庆 撰　［梁］刘孝标 注　王根林 标点

唐五代

朝野佥载·云溪友议　［唐］张鷟 范摅 撰　恒鹤 阳羡生 校点

教坊记(外七种)　［唐］崔令钦 等撰　曹中孚 等校点

大唐新语(外五种)　［唐］刘肃 等撰　恒鹤 等校点

玄怪录·续玄怪录　［唐］牛僧孺 李复言 撰　田松青 校点

次柳氏旧闻(外七种)　［唐］李德裕 等撰　丁如明 等校点

酉阳杂俎　［唐］段成式 撰　曹中孚 校点

宣室志·裴铏传奇　［唐］张读 裴铏 撰　萧逸 田松青 校点

唐摭言　［五代］王定保 撰　阳羡生 校点

开元天宝遗事(外七种)　［五代］王仁裕 等撰　丁如明 等校点

北梦琐言　［五代］孙光宪 撰　林艾园 校点

宋元

清异录·江淮异人录　［宋］陶穀 吴淑 撰　孔一 校点

稽神录·睽车志　［宋］徐铉 郭彖 撰　傅成 李梦生 校点

贾氏谭录·涑水记闻　[宋]张洎 司马光 撰　孔一 王根林 校点

南部新书·茅亭客话　[宋]钱易 黄休复 撰　尚成 李梦生 校点

杨文公谈苑·后山谈丛　[宋]杨亿口述、黄鉴笔录、宋庠整理　陈
　　师道 撰　李裕民 李伟国 校点

归田录(外五种)　[宋]欧阳修 等撰　韩谷 等校点

春明退朝录(外四种)　[宋]宋敏求 等撰　尚成 等校点

青琐高议　[宋]刘斧 撰　施林良 校点

渑水燕谈录·西塘集耆旧续闻　[宋]王辟之 陈鹄 撰　韩谷 郑世刚
　　校点

梦溪笔谈　[宋]沈括 撰　施适 校点

麈史·侯鲭录　[宋]王得臣 赵令畤 撰　俞宗宪 傅成 校点

湘山野录 续录·玉壶清话　[宋]文莹 撰　黄益元 校点

青箱杂记·春渚纪闻　[宋]吴处厚 何薳 撰　尚成 钟振振 校点

邵氏闻见录·邵氏闻见后录　[宋]邵伯温 邵博 撰　王根林 校点

冷斋夜话·梁溪漫志　[宋]惠洪 费衮 撰　李保民 金圆 校点

容斋随笔　[宋]洪迈 撰　穆公 校点

萍洲可谈·老学庵笔记　[宋]朱彧 陆游 撰　李伟国 高克勤 校点

石林燕语·避暑录话　[宋]叶梦得 撰　田松青 徐时仪 校点

东轩笔录·嬾真子录　[宋]魏泰 马永卿 撰　田松青 校点

中吴纪闻·曲洧旧闻　[宋]龚明之 朱弁 撰　孙菊园 王根林 校点

铁围山丛谈·独醒杂志　[宋]蔡絛 曾敏行 撰　李梦生 朱杰人 校点

挥麈录　[宋]王明清 撰　田松青 校点

投辖录·玉照新志　[宋]王明清 撰　朱菊如 汪新森 校点

鸡肋编·贵耳集　[宋]庄绰 张端义 撰　李保民 校点

宾退录·却扫编　[宋]赵与时 徐度 撰　傅成 尚成 校点

桯史·默记　[宋]岳珂 王铚 撰　黄益元 孔一 校点

燕翼诒谋录·墨庄漫录　[宋]王栐 张邦基 撰　孔一 丁如明 校点

枫窗小牍·清波杂志　[宋]袁褧 周辉 撰　尚成 秦克 校点

四朝闻见录·随隐漫录　[宋]叶少翁 陈世崇 撰　尚成 郭明道 校点

鹤林玉露　[宋]罗大经 撰　孙雪霄 校点

困学纪闻　〔宋〕王应麟 撰　栾保群 田松青 校点

齐东野语　〔宋〕周密 撰　黄益元 校点

癸辛杂识　〔宋〕周密 撰　王根林 校点

归潜志·乐郊私语　〔金〕刘祁　〔元〕姚桐寿 撰　黄益元 李梦生
　　校点

山居新语·至正直记　〔元〕杨瑀 孔齐 撰　李梦生 庄葳 郭群一
　　校点

南村辍耕录　〔元〕陶宗仪 撰　李梦生 校点

明代

草木子(外三种)　〔明〕叶子奇 等撰　吴东昆 等校点

双槐岁钞　〔明〕黄瑜 撰　王岚 校点

菽园杂记　〔明〕陆容 撰　李健莉 校点

庚巳编·今言类编　〔明〕陆粲 郑晓 撰　马镛 杨晓波 校点

四友斋丛说　〔明〕何良俊 撰　李剑雄 校点

客座赘语　〔明〕顾起元 撰　孔一 校点

五杂组　〔明〕谢肇淛 撰　傅成 校点

万历野获编　〔明〕沈德符 撰　杨万里 校点

涌幢小品　〔明〕朱国祯 撰　王根林 校点

清代

筠廊偶笔 二笔·在园杂志　〔清〕宋荦 刘廷玑 撰　蒋文仙 吴法源
　　校点

虞初新志　〔清〕张潮 辑　王根林 校点

坚瓠集　〔清〕褚人获 辑撰　李梦生 校点

柳南随笔 续笔　〔清〕王应奎 撰　以柔 校点

子不语　〔清〕袁枚 撰　申孟 甘林 校点

阅微草堂笔记　〔清〕纪昀 撰　汪贤度 校点

茶余客话　〔清〕阮葵生 撰　李保民 校点

檐曝杂记 · 秦淮画舫录　〔清〕赵翼 捧花生 撰　曹光甫 赵丽琰 校点

土风录　〔清〕顾张思 撰　曾昭聪 刘玉红 校点

履园丛话　〔清〕钱泳 撰　孟斐 校点

归田琐记　〔清〕梁章钜 撰　阳羡生 校点

浪迹丛谈 续谈 三谈　〔清〕梁章钜 撰　吴蒙 校点

啸亭杂录 续录　〔清〕昭梿 撰　冬青 校点

竹叶亭杂记 · 今世说　〔清〕姚元之 王晫 撰　曹光甫 陈大康 校点

冷庐杂识　〔清〕陆以湉 撰　冬青 校点

两般秋雨盦随笔　〔清〕梁绍壬 撰　庄葳 校点